Dominatin

Dara Cuid
(Forlámhas agus Aighneacht Erotic)
Le
Erika Sanders
Sraith
Dominating Susan Imleabhar 6 go 10

Achoimre

Tar éis di an coláiste a chríochnú, téann Susan chuig a céad phost, post a sholáthraíonn cara teaghlaigh, Robert, a raibh dúil speisialta aici i gcónaí d'iníon a cara.

Is é an mian speisialta seo Susan a chur faoina forlámhas ...

Tá sraith ábhar láidir erotic BDSM san fhoilseachán seo, áit a ndéanaim eachtraí Susan a thuairisciú ina gné aighneachta.

Úrscéalta le hábhar BDSM ard rómánsúil agus erotic.

Tá na méideanna seo a leanas ann:

6 – Aighneacht Iomlán
7 – An club
8 – An Triail Deireanach
9 - An chóisir
10 – Cinneadh deiridh

Nóta ar an údar:

Scríbhneoir aitheanta go hidirnáisiúnta is ea Erika Sanders, aistrithe go breis is fiche teanga, a shíníonn a cuid scríbhinní is erotic, i bhfad óna gnáthphrós, lena hainm roimh phósadh.

Innéacs

DOMINATING SUSAN
DARA CUID
(DOMINATION EROTIC)
AG
ERIKA SANDERS

AIGHNEACHT IOMLÁN

Mhothaigh sí í féin cringe faoina gaze unwavering.

Ní raibh an chuma air go raibh sé trína chéile, ach bhí an chuma ar an gciúnas a bhí air.

Ar deireadh, d'fhéach sí ar shiúl, ísliú a súile agus squirming, a smig fós go daingean ina lámh.

"D'aontaigh tú a bheith mianach ar feadh seachtaine, ceart?"

Chuaigh a intinn siar go dtí ceithre lá ó shin.

An raibh sé i ndáiríre ach ceithre lá? Tá an oiread sin tarlaithe ó shin.

Bhí an fhírinne nó an leomh acu le linn sos oibre, bhí an oiread sin suime aige ina saol i gcónaí agus bhí sé chomh maith sin léi sna chéad chúpla seachtain sin ag an gcuideachta, ina mheantóir, ina chara, ina athair cosantach.

Ba é sin go dtí gur lig sí dó spank di agus orgasmed embarrassingly le linn an taithí sin.

Ghlac sé mar sclábhaí í agus gheall sé go labhróidís i gceann seachtaine.

Ó shin i leith bhí sí géilliúil dá gach ordú agus moladh é nuair a bhí sé sásta agus pionós a ghearradh nuair nach raibh sé.

Chuir a n-fhreagairtí i leith na bpionós sin iontas agus náire uirthi.

Chuir an t-áthas a bhí aici ar é a thaitneamh a bhaint as í ar shlí gur sháraigh siad an náire, an náiriú agus an phian a bhí uirthi.

Is dócha gurbh é Endure an focal mícheart, shíl sí di féin mar gur chuir gach ceann de na pionóis a corp isteach in orgasm taitneamhach.

D'ardaigh sí a súile, ag breathnú siar air, crith leis an greim a bhí ag an bhfear seo uirthi.

Bhí a fhios aige go raibh fonn uirthi araon agus go raibh eagla uirthi faoina smacht.

dúirt sí:

"Tá Máistir".

Bhreathnaigh sé isteach ar na súile móra, áille sin a leáigh a chroí gach uair a rinne sé.

Adored sé í.

Mar chara teaghlaigh, bhí sé ag faire uirthi ag fás isteach sa bhean óg álainn go raibh sí.

Bhí sé millte aici thar na blianta le bronntanais agus aird, agus ar deireadh, nuair a chríochnaigh sí coláiste, thairg sé post di ag a chuideachta rathúil.

Ar deireadh, ar shiúl ó smacht a thuismitheoirí dochta, bhí cairdeas aige léi agus bhí sé ina mheantóir agus ina confidante di.

Mura raibh ach an cailín beag ar an eolas faoina fantasies dorcha, b'fhéidir nach mbeadh an fonn a bhí uirthi gach gné dá saol a shealbhú agus a rialú in ann an tráth seo den aighneacht iomlán a bhaint amach.

Chuir an mothú úinéireachta cosanta seo tús leis an nóiméad a d'aontaigh sí dul ag obair dó.

Mar gheall ar a nádúr milis submissive a bhí á n-urramú ag tuismitheoirí domineering, bhí sí níos inmhianaithe dó.

Bhí na ceithre lá seo caite dochreidte, chomhlíon sí fiú nuair a bhrúigh sé a teorainneacha arís agus arís eile.

Cosúil le kitten skittish, ba chosúil go raibh sí ag rith ar shiúl beagnach uaireanta agus nuair a d'fhéach sé uirthi, d'fheicfeadh sé an mearbhall agus an t-amhras ina súile arís.

Bhí a fhios aige nach bhféadfadh sé í a chailleadh anois, agus bheadh sé ríthábhachtach a chéad chéim eile a roghnú.

Chuir sé iachall uirthi a bheith ina sclábhaí an tseachtain seo agus bhí a fhios aige go gcoimeádfadh sé i bhfad níos faide í, le héigean dá gcaithfeadh sé, ach theastaigh uaidh ní amháin go nglacfadh sé lena háit mar sclábhaí, ach impigh air í a choinneáil .

Bhí a fhios aige nach raibh sí réidh chun impigh agus go raibh níos mó ama ag teastáil uaithi.

Agus bheadh cóisir chomórtha a thuismitheoirí ina bhac, ós rud é nach raibh sé réidh chuige sin.

Ag coinneáil a aghaidh díreach, d'iarr sé:

"An bhfuil pleananna déanta agat gan cead a iarraidh, a dhuine bhig?"

Shuddered sí.

"A Mháistir, rinneadh na pleananna sular ghlac tú mé mar do sclábhaí..."

sí a liopa agus ísligh a súile arís, ag mothú ciontach gan a fhios agam cén fáth.

"Ó sea, cóisir do thuismitheoirí, beidh mé ann freisin, ach ar ndóigh bhí a fhios agat cheana féin."

"Táthar ag súil go gcabhróidh mé maidin Dé Sathairn leis na hullmhúcháin agus go bhfanfaidh mé an lá dár gcionn chun glanadh suas tar éis an chóisir."

Bhí sí beagnach pout nuair a dúirt sí é a fhios aici go mbeadh sí ag ligean duine éigin síos ceachtar bealach, rud a lig síos di féin.

"Feicim, is maith a thuigim an imní atá ort, ach is tú mo sclábhaí agus déanfaidh tú mar a iarraim. Déanfaidh mé do phleananna don deireadh seachtaine a mheas agus cuirfidh mé in iúl duit cad a dhéanfaidh mé amárach. Ná bí buartha a dhuine bhig. Susy, tusa. Caithfidh muinín a bheith agat asam agus géilleadh dom.", sin an t-aon imní a bheidh ort an tseachtain seo."

D'iompaigh a boilg anonn nuair a smaoinigh sí ar a tuismitheoirí a dhí-chomhlíonadh.

Fiú nuair a bhí sí ina bean óg cheana féin agus ina duine fásta ina gcónaí ina haonar agus ag obair sa chathair, d'fhéadfadh siad a chur i bhfeidhm uirthi mar chailín dána agus easumhail gan ach breathnú nó osna.

Is fuath liom iad a díomá.

Bhreathnaigh sé go cúramach ar a héadan léiritheach, mothúcháin ag seinm air ag léiriú eagla agus imní.

Bhí lá amháin eile aige anseo ag obair chun a mhaoin a chomhdhlúthú ina intinn.

Chlaon sé síos agus phóg í go domhain roimh phiocadh suas í agus siúl isteach sa seomra leapa.

Labhair sé go ciúin, ach le ton géar ina ghuth:

"Caithfidh tú muinín a chur asam, gan dabht ar bith, chun aire a thabhairt duit, a Shiobhán. Níl tú ag léiriú do chreideamh ionam, trí bheith chomh imníoch sin don deireadh seachtaine agus cuireann sé sin díomá orm."

Chuir sé a aghaidh síos ar an mbinse padded sa seomra leapa.

Ag cuimhneamh ar an seasamh neamhbhuana a bhí glactha aici níos luaithe an lá sin, shín sí amach chun an leathar bog a bhí ar a taobhanna a thuiscint.

Labhair sé go bog mar a bhog sé go dtí a taobh.

"Agus cad a tharlaíonn nuair a dhéanann tú díomá orm cailín beag?"

Shuddered sí beagán mar a d'fhreagair sí:

"Beidh mé a phionósú, Máistir."

Mhothaigh sí mar a d'ardaigh beagán an sciorta beag a raibh cóirithe aige uirthi.

caressed sé a pluide agus laonna agus a lámha trailed síos a cosa stocála-clad, ag déanamh a squirm le pléisiúr.

Ag tarraingt a sciorta ar leataobh, thosaigh sé ag caress a rúitíní, iad a timfhilleadh le straps den leathar bog céanna ón mbinse.

Ag tarraingt ar an taobh clé ar leithead, dhaingnigh sé go cos an bhinse é.

Do ghluais sé go dtí a taobh eile mar a lean sé:

"Ba mhaith liom a rá nach mbeinn ag iarraidh pionós a ghearradh ort," shos sí agus í ag brú a rúitín eile trína cosa a scaipeadh go leathan óna chéile, "ach ní bheadh sin fíor."

Lean sé dá chuaird timpeall uirthi mar a chlaon sí isteach sa léas leathan.

"Tá tú go hálainn, a sclábhaí, ach ní mó inmhianaithe riamh ná nuair a fheicim mo mharcanna ar do chraiceann."

Bhuail sé í go crua agus bhraith sí dath a phrionta láimhe agus aththéigh sí a bun bándearg cheana féin.

"Bhí lá fada agat lán d'eispéiris nua agus caithfidh tú a bheith tuirseach"

Strac sé a asal lena lámh nua-phriontáilte agus é ag labhairt agus thar a cunt fliuch sular bhuail sé a asal arís.

Ag glanadh mhéara fliucha óna púicín ar a leiceann, lean sí uirthi:

"Níor cheangail mé suas thú roimhe seo, ach ní hé seo an uair dheireanach a cheangail mé suas thú, a shoithín bhig."

Mhothaigh sí fuaracht ag dul suas a spine ag a chuid focal.

Bhí sé ag labhairt go bog, beagnach, ag canadh agus é ag cúngú agus ag stróiceadh a chaol na láimhe á dhaingniú agus í ag tarraingt ar an mbinse.

Bhog sé taobh thiar di agus brúite a cromáin i gcoinne a bun dearg agus thosaigh sé ag bogadh ionas go bhféadfadh sí a bhraitheann ar a coileach crua gafa ina pants.

Thosaigh sí ansin ar a cóirséad a scaoileadh go mall.

Fuair sí í féin ag rolladh a cromáin idir an mbinse agus a groin, a aigne beo le híomhánna den choileach ar theastaigh uaithi a fheiceáil.

Nuair a tháinig an cóirséad scaoilte, lig sé dá lámha fánaíocht ar ais í beagnach i suathaireacht agus é ag brú a chromáin ina coinne.

Shleamhnaigh a lámh faoina bráid, ag tógáil í beagán, rud a chuir ar na ceangail a bheith níos doichte agus é ag scaoileadh an cóirséid agus ag imeacht uaithi.

Faoin am sin bhí sí ag panting nocht agus faoi cheangal, spléach a cromáin le arousal.

Aoibh sé.

"Tá tú den sórt sin a slut te agus tá tú mo."

Mhothaigh sí rud éigin leaisteach á cheangal timpeall a pluide agus d'fhiafraigh sí cén pionós nua a bhí i ndán di.

Tharraing sé an leaisteacha suas thar a pluide go dtí gur bhraith sí an snuggle plaisteach fuar crua i gcoinne a pussy, brú sé ar a liopaí, ansin labhair sí arís ar deireadh.

"Seo é ceann de na bréagáin atá agam do mo sclábhaí beag dána."

Rith sé a lámha thar a bun agus ar ais, bhog sé chun seasamh os a comhair.

Reáchtáil sé iargúlta beag di a fheiceáil, chliceáil sé é uair amháin agus thosaigh buzzing idir a cosa caressing a clit cúis a súile a leathnú agus squeal beag chun éalú a liopaí.

Dhún sí a súile agus an hum ag tuilte a céadfaí agus rinne sí ríl a hintinn.

Chuir sé an cianrialtán ina láimh agus thug sé foláireamh di:

"Ná scaoil seo nó beidh an pionós níos déine."

Mar a dúirt sé seo, shroich sé taobh thiar dó agus thóg amach mír fhada cosúil le lúb a crios.

"Seo fuip nua a thug Barry dom inniu. Creideann sé nach féidir aon chailín a thraenáil i gceart gan ceann." Choinn sé suas go dtí a súile é agus chonaic sí go raibh sé déanta de leathar burgúin. "Amárach beidh ort ríomhphost a chur chuige agus buíochas a ghabháil leis as bronntanas chomh tuisceanach."

Gasped sí a corp crith agus moaned:

"Tá Máistir".

Thit a súile as an fuip agus chonaic sí an bulge a choileach ina pants agus bhraith spasm a pussy le teas agus gá.

"Uhh." Shíl sí, "Cad é mar a bheadh sé a bheith fucked aige? A neart agus cumhacht a bhraitheann taobh istigh di."

Bhí a fhios aici go mbeadh sí ag iarraidh uirthi a admháil gur fraochÚn i ndáiríre, a fraochÚn.

Giotán sé a liopaí agus dhún sé a shúile.

Bhí a clit crua agus throbbing i gcoinne an chromáin an bréagán agus lig sí í féin a bheith scuabtha ar shiúl ag an mothú.

Bhog sé taobh thiar di mar a dhún sí a súile, agus an fuip crack i gcoinne a bun.

Chuir an greim géar pian isteach ina craiceann deargtha cheana féin, a súile ag leathnú agus í ag caoineadh agus ag magadh i gcoinne a srianta.

"Ah sea, a sclábhaí mhilis, can ar do Mháistir."

an fuip isteach ina bun arís agus mhothaigh sí go raibh a súile lán le deora agus í ag gol agus ag magadh faoi phian.

Ag timfhilleadh a láimhe timpeall ar a earball agus ag geansú a ceann ar ais, sheas sé ar aghaidh le féachaint ar a púicín te go dtí buíochán an bhréagáin agus an fuip ag proded léi ar ais lom agus í ag caoineadh air.

Ag gas don anáil agus ag sileadh deora síos a leic, bhog a cromáin i rithim leis an mbréagán agus an pionós.

Chlaon sé ar aghaidh agus growled ina chluas.

"Cé hé do úinéir, sclábhaí?"

"Do mhúinteoir". gasped sí.

"Agus cé a ghéilleann tú i gcónaí, MO sclábhaí."

"Chun tú, Maestroooo ."

Ag glacadh céim ar ais agus ag bualadh ar a cúil arís, d'fhiafraigh sé níos airde:

"Agus cé a mbeidh muinín agat as chun tú a chosaint agus aire a thabhairt duit, MO Susy?"

"Ar tú, a Mháistir." yelled sí: "Ar tú!"

Chuir sé an fuip ina lámh shaor ag déanamh di a méar a chuimilt thart ar an hanla.

D'admhaigh sé arís í faoi rud ar bith a scaoileadh agus rug sé ar a h-asal leis an dá lámh ag brú a leicne dearga te agus í ag caoineadh arís.

Scaipeadh a masa óna chéile mar a chuaigh sé greim orthu, d'fhéadfadh sé a fheiceáil na matáin ina clench asshole daingean mar a bhí an bréagán lena clit.

"Is cailín ana-ghéar thú, acht ní thiocfaidh tú gan mo cheadsa, a shlait bhig."

Bhreathnaigh sé agus a matáin go léir ag teannadh lena fhocail, a anas rocach ag magadh.

Ag mothú an teannas a choileach i gcoinne a pants, bhí a fhios aici nach bhféadfadh sí a shealbhú i a thuilleadh.

Ag géilleadh dá lust, scaoil sé a masa agus sheas os a comhair.

D'fhéach sí suas air, a aghaidh cuimilt-dhaite gasping agus moaning i ngátar.

Scaoil sé a chrios agus scaoil sé a chuid brístí amach, scaoil sé go tapa iad ag ligean dá choileach léim agus jerk roimh a béal oscailte.

Bhí a súile greamaithe dó glónraithe le arousal mar a scar sí go huathoibríoch a liopaí agus fillte sé a lámh thart ar a ponytail arís.

An coileach gur mhaith sí fantasized beagnach ag damhsa roimh a súile chuma níos mó ná mar a shamhlaigh sí.

sé agus ní raibh sé in ann a shúile a bhaint as an coileach ceann corcra.

Thit a béal oscailte níos leithne mar a sighed sí agus panted i teas agus gá.

Grabbing di ag an ponytail, tharraing sé a ceann ar ais ionas go bhféadfadh sí breathnú isteach ina súile.

"Go dtí seo dhíríomar ar tú a oiliúint mar mo sclábhaí agus sásamh a thabhairt duit, is é mo sheal anois taitneamh a bhaint as tú."

Rinne na deora ina súile agus na moans de phian é níos deacra fós agus d'úsáid sí a ponytail chun a béal a threorú chuig a coileach.

Bhreathnaigh sé mar a liopaí parted agus a teanga slid amach chun ciorcal a ceann mar chothaithe sí a bhéal isteach ina coileach.

Moaned sé mar a liopaí dúnta thart ar a cheann agus flicked sí a teanga timpeall air roimh sucking ar an tús a coileach.

Níor mhothaigh sí riamh roimhe seo gan chúnamh.

In ainneoin an lámh ina cuid gruaige agus chomh docht a bannaí, shroich sí chun a muineál a fháil níos gaire don seafta.

Mar a chothaigh sé í, a coileach sleamhnú go mall thar a teanga mar ligh sí agus fluttered thart ar an ceann a coileach roimh dhúnadh a béal níos mó ná é lena liopaí timpeall air.

Bhí cloigeann a bhall suite i gcoinne a teanga agus d'ól sí í, ag baint suilt as an gcabhail te, ata.

Tháinig crith ar a corp mar a lean an bréagán creathadh ag súgradh lena clit.

Bhí sí chomh fliuch go bhféadfadh sí a súnna a mhothú ag rith síos a pluide.

Bhreathnaigh sí.

Bhí a corp beag faoi cheangal a huachta, a asal cruinn marcáilte agus quivering i ngátar mar a d'oibrigh an bréagán ar a clit gan staonadh.

"Tógadh chuige seo tú. Le húsáid ar an mbealach seo ag duine a bhfuil an chumhacht chun tú a chothú."

Moaned sí arís agus bhrúigh sé níos mó dá coileach isteach ina béal, líonadh di go dtí shlog sí é ina iomláine.

Ag greim níos doichte ar a cuid gruaige, d'fhéach sé isteach ina súile glónraithe agus thosaigh sé ag pumpáil isteach agus amach as a béal, rud a d'fhág go raibh sí ag gasp agus ag casachtach, ag sileadh timpeall uirthi agus a béal á choinneáil ar oscailt chun taitneamh a bhaint as.

Bhí sé ag smaoineamh faoi seo le cúpla lá anuas, agus ní raibh sé ag iarraidh a fuck di go dtí go raibh sí go hiomlán leis.

Ach anois thug sé suaimhneas saor dá lust mar ba ghá dó é a úsáid go tréan.

sé an fuip as a lámh agus slammed sé isteach ina ais níos ísle agus asal ag déanamh a gasp thart ar a coileach.

Bhí a scornach creathadh, ag brú uirthi chun bhfeidhm a coileach síos a scornach growling.

"Swallow a soith ar fad."

D'fhéadfadh sé a fheiceáil aimsir agus moan mar shlogtar sí agus plódaithe crua sular tharraing a coileach ar ais go dtí a liopaí.

Bhí an-spraoi ar a hintinn agus an phian ag stróiceadh trína bun agus í ag gol agus ag gasp ar a phumpáil láidir.

Bhí a growl muffled ag an coileach ina béal, mothú aroused sin mar lashed sé a asal leis an fuip agus rinne sí leanúint ar aghaidh ag swallow a coileach, tiomáint sé níos doimhne.

Ghearr sé as an aer ina béal mar a mhothaigh sí a liathróidí bob as a smig.

sí, a súile leathan agus teary.

Nuair a tharraing sé uaidh beagán, chuirfeadh sí gá le haer ag caoineadh os ard agus teaghráin mhóra drool ag titim óna smig.

Arís eile lashed sé í leis an fuip agus thug sá eile domhain.

Bhí sí scanraithe agus shlogtar nuair a rug sé uirthi lena lámha ag a scornach.

Rinne sí geit agus brú uirthi i gcoinne a srianta, a intinn trí thine le pian agus paisean, ag mothú spasm a pussy beagán agus bhí a fhios aici go raibh sí chun teacht.

Bhreathnaigh sé uirthi agus é ag faire uirthi ag bogadh i dtreo barr, a corp faoi cheangal agus ag a thrócaire.

Bhí an cailín seo ag teastáil uaidh, an slut seo, a sclábhaí.

Mhothaigh sé a liathróidí níos doichte agus rinne sé caoineadh.

"Is féidir leat cum ach amháin nuair a dhéanann mé mo soith beag."

Tharraing sé a coileach as a béal agus ag tarraingt uirthi ag an ghruaig tilted a ceann suas mar a chuir sé a coileach i gcoinne a leiceann agus dangled a liathróidí isteach ina béal oscailte.

Ag sucking agus ag rolladh a theanga, rinne sé caoineadh os ard agus a choileach te crua caressed a leiceann sciath sé lena seile féin.

Agus é ag líonadh oiread dá mhála liathróid isteach ina bhéal agus a d'fhéadfadh sé.

D'oibrigh a theanga go dian ar a liathróidí, mar a thiomáin an pian ina h-asal agus an buacadh ina clit í chuig airde nua lust agus riachtanas.

Thit sé an fuip ar ais thar a asal agus shoved a coileach ar ais isteach ina béal toilteanach, brú a shrón go domhain i gcoinne a bolg mar gobán sí noisily.

Bhí a corp aimsir sínte idir na bannaí a bhí aici mar a ghlaoigh a gasp agus creathadh ina choileach.

An fuip Stung di arís agus sé, aroused go hiomlán, go tobann growled, "cum mé."

Bhí sí gasping le imní, a béal oscailte, agus líonadh sé a béal agus aghaidh lena sperm.

Bhí sí ag screadaíl cheana féin lena horgasm a bhí le teacht, a corp ar crith agus ar crith agus teaghráin tiubh seamhan ag sileadh thar a cuid gnéithe deasa.

Ag leanúint ar aghaidh, thaisc sé na spurtanna deireanacha seamhan ar a teanga.

Casadh a corp agus rolladh uirthi agus í ag brú i gcoinne a srianta agus í éadóchasach ar an aer.

Bhí iarracht déanta aici an gá atá aici le teacht a choinneáil slán, ach d'fhéadfadh sí a mhothú go raibh sé ag méadú go do-athraithe cheana féin, cé go raibh a chumhacht agus a smacht iomlán uirthi sa phost seo.

Chuir turraing a chuid focal "I come" agus an chéad teaghrán caol dá cum ag bualadh a béal aon srian a bhí uirthi agus rinne sí scread.

Chuir an caillteanas iomlán smachta, an phian, an buzzing ina clit agus úsáid gharbh a béal níos airde í agus d'éirigh sí spurts agus spurts as a cunt gaping.

Bhí sí chomh faoi léigear ag an méid a mhothaigh sí, gur lean na tonnta barr ag ardú trína corp ar feadh an ama is faide a chaith sí riamh in orgasm.

Beagnach unconsciously, sucked sí agus ligh ar a coileach mar a bhrúigh sé ar ais idir a liopaí.

Mhothaigh sí amhail is go raibh sí ag snámh a súile, ag stánadh go bán air agus í ag béiceach agus ag crith faoina bhun.

Go mall, tharraing sé ar shiúl óna liopaí agus d'fhéach sé agus í ag snámh le pléisiúr as na endorphins ag cúrsáil trína corp petite.

Go cúramach mhúch sé an bréagán agus scaoil sé a fhoirm quivering, ag piocadh suas í agus ag iompar an cailín lómhara chuig an leaba.

sruthanna tiubh, tiubh cum óna aghaidh agus á mbeathú di agus í ag filleadh go mall air.

Ghlan a súile agus í ag féachaint air agus é ag sú ar a méar le hiarsmaí seamhan.

"Tá tú ídithe a sclábhaí álainn, is féidir leat codladh anois, ach ar dtús buíochas a ghabháil le do Mháistir as tú a úsáid mar an sclábhaí maith atá tú."

Labhair sé go ciúin agus é ag cothú méar líonta eile di.

D'ardaigh cnap ina scornach mar a dúirt sí:

"Go raibh maith agat, a mhúinteoir".

Chonaic sí aoibh gháire air agus bhí a fhios aige go raibh sé sásta.

Bhí a croí lurched ina cófra agus aoibh sí ar ais air.

Chuir sé iontas uirthi i gcónaí conas a mhothaigh sí gach uair a mhol sé í, amhail is dá mba rud é gur bhuaigh sí duais chrua.

A lámh caressed a corp agus winced sí mar a lámh scuabtha thar a bun dearg.

"Bhí mé deacair ort a chailín bhig, ach caithfidh tú a fhoghlaim chun muinín a bheith agam go bhfuil a fhios agam cad is fearr duit agus go gcloífidh tú liom."

Chuala sí a ghuth agus bhraith sí gan chúnamh faoina smacht, fiú gan na srianta.

Chlaon sí a ceann.

"Tá Máistir".

"Lá fada a bhí ann, a sclábhaí bhig, agus is maith a rinne tú. Codfaidh tú anseo anocht le go mbeidh mé in ann aire a thabhairt duit." A lámh stroked a cuid gruaige, scuabadh ar ais as a cum clúdaithe aghaidh. "Tá tú chomh hálainn, a Shiobhán. Codail anois, rinne tú bród ar do Mháistir inniu."

Is beag an t-áthas a bhí uirthi agus í ag druidim a súile go héagórach agus í ar a suaimhneas faoina caresses bog, ag cogarnaigh,

"Go raibh maith agat, a mhúinteoir".

Snuggling isteach ina airm, a asal dearg brúite a sheoladh tendrils pian le gach gluaiseacht, wondered conas a fuair sí go dtí an pointe seo, ag glacadh leis an pian erotic agus pléisiúir lavished sé uirthi.

Dá ndúirt duine éigin léi go mbainfeadh sí taitneamh as a bheith buailte le barr marcaíochta, shílfeá go raibh siad craiceáilte, ach bhí sé sin sular thosaigh an tseachtain seo.

Thit sí ina codladh ag fiafraí cén chaoi ar tháinig sí anseo, an dtiocfadh deireadh go deo leis an tseachtain seo agus an mbeadh fonn uirthi.

ULLMHÚCHÁIN

Dhúisigh sé suas go mall i seomra dorcha agus grimaced mar a bhog sé moaning go bog.

Ghlac a cnap an oiread sin pionós an tseachtain seo chaite nár shíl sí go mbeadh sé mar a chéile arís.

Mar dá mba chomhartha é gur dhúisigh sí, thug a Máistir barróg uirthi níos tinne.

"Bhí mé ar tí tú a dhúiseacht ceann beag, tá sé beagnach in am chun tús a chur leis an lá anseo."

Tharraing sé an leathán ar ais agus d'fhéach sé ar a foirm nocht le gleam speisialta ina shúile.

Bhain sé a corp i dteagmháil léi agus rinne sé cúram di agus rinne aoibh gháire uirthi agus í ag dul i dteagmháil leis ar ais.

"Téigh le cithfholcadh sciobtha sula gcinnfidh mé ar cheart dom tú a choinneáil anseo ar feadh an lae."

Patted sé go héadrom a bun ag baint taitnimh as an moan a éalaigh a liopaí.

"Roghnóidh mé rud éigin duit le caitheamh, tá an chuid is mó de na rudaí a cheannaigh Anne anseo duit."

Winced sí agus groaned mar a shuigh sí suas.

Chas sí a cosa as an leaba go tapa, in ionad suí ar a asal brúite.

Chas sí ar ais amhail is dá mba chun na marcanna a fheiceáil, ach nuair a chuala sí an Máistir a scornach a ghlanadh, d'fhéach sí suas air.

"Come on, a dhuine bhig."

A ton rinne sí léim naked agus a reáchtáil as an seomra, ag eitilt trasna na hoifige folamh.

Rinne sé aoibh agus chuaigh sé go dtí an closet chun culaith bhog olann agus blús beagnach trédhearcach a roghnú a d'fhág sé ar an leaba iad.

Roghnaigh sí freisin stocaí ar airde ceathar agus péire sála chun an fheisteas a mheaitseáil.

Sásta, chuaigh sé go dtí a dheasc.

* * *

Bhí an seomra folctha beagáinín tais agus thuig sé go raibh sí ina codladh agus é ag cith.

Ghlan sí an scáthán agus d'fhéach sí uirthi féin tríd.

Bhí a cuid gruaige chomh praiseach sin gur cheangail sé le snaidhm é mar rith sí a méar tríd agus scuab sí as a héadan é.

Bhí coirníní beaga de sheamhan triomaithe fós ar a aghaidh agus bhí a siní distended ag an slabhra, a adorned fós iad, ach scaoilte.

Agus an slabhra á bhaint aige, d'éist sé leis na cloigíní glig agus d'fhéach sé ar shlabhra íogair agus costasach.

Ag casadh ar shiúl ón scáthán, chuaigh sé isteach sa chith bheag chun a chorp a ghlanadh go críochnúil, ag ligean don uisce te a thóin brúite a spraeáil chun é a mhaolú.

Stepping amach as an cith, triomaithe sí í féin nicely ar na tuáillí clúmhach ollmhór.

Timfhilleadh í féin iontu mar a thriomú sí agus chíor a cuid gruaige agus a chur ar a makeup.

Ar deireadh, nuair a chríochnaigh sí, rinne sí aoibh gháire ar a machnamh sa scáthán.

Ba é seo an cailín nach raibh a fhios an slut agus a aghaidh clúdaithe i cum agus a chuaigh isteach sa seomra folctha.

Tuáillí bhaint.

Agus nuair a d'iompaigh sí chun dul thug sí faoi deara go raibh an slabhra nipple fós sa nigh.

Gan iarraidh ar a h-asal níos mó airde a fháil ar maidin, chroch sí é ar ais ar a siní.

Chuaigh sé amach go dtí an oifig ag mothú fuarú ón bhfuacht agus mar sin chuaigh sé chun an t-achar a scar é ón seomra a chlúdach chomh tapa agus ab fhéidir, ach stop sé i lár na céime nuair a chuala sé a ghuth.

"Susy, teacht anseo."

Bhreathnaigh sé agus í ag stopadh agus ag iompú air, ag bogadh a lámha síos chun a nocht a chlúdach, ansin ar shiúl taobh thiar di amhail is dá mba ag cuimhneamh go tobann ar a oiliúint.

Rinne sé aoibh agus í ar a ghlúine ar a chosa agus chuas a smig ina lámh chun a héadan a chlaonadh suas go dtí a chuid.

"Cailín maith, anois ar mo mhuin."

Bhí sé in ann a súile a fheiceáil ag dul i méid agus é ag déanamh iontais gur sheachain an méid a bhí déanta aici pionós a ghearradh uirthi agus rinne sé aoibh gháire go réidh agus é á threorú isteach ar a mhuin.

Agus í ag síneadh le haghaidh pitcher ar a deasc, chuimil sí aló soothing isteach na marcanna a d'fhág sí an lá roimh ag rá,

"Níl sé ar fad faoi phionós, sclábhaí beag."

Chlaon sí agus lig sí ar a pluide.

stroked sé go réidh agus massaged a bun.

Ón aló fionnuar, soothing ar a craiceann fuair sí í féin ag gríoscadh cosúil le piscín agus é ag tabhairt aire di níos ísle ar ais go dtí barr a pluide ag déanamh a cromáin ag rolladh lena ghluaiseachtaí.

Ansin patted sé é agus thóg suas é chun breathnú isteach ina súile.

"Tá an-ghá thú, mo shlat bheag, ach níl an t-am againn tú a thraenáil a thuilleadh ar maidin, téigh gléasta. Tá na héadaí a theastaíonn uaim leagtha amach agam."

Stunned, Chlaon sí.

"Tá Máistir".

Sheas sé suas agus go tapa shiúil i dtreo an seomra leapa.

Ní go dtí gur shuigh sí suas agus tharraing sí a cos stocála suas thart ar a pluide gur thuig sí cé chomh fliuch agus a bhí a pussy ón suathaireacht a thug sé di.

Ó, a Dhia, a shíl sí, is mise an soith a ghlaonn sé orm, chomh géar is fliuch.

Bhí an chuma ar an scéal go raibh sí níos teo agus bhraith sí spasm istigh inti agus í ag smaoineamh ar theacht arís.

Chroith sí a ceann agus fhios aige go raibh sé ag fanacht, rug sí ar an stoc eile ag cur suas a cos sular sheas sí agus d'athraigh sí go pras isteach sa chulaith bhog olann a d'fhág sé í.

D'iompaigh sí chun breathnú sa scáthán, ag seiceáil arís conas a d'oirfeadh an chulaith di cosúil le lámhainní agus a dearadh chun aird a tharraingt ar a fráma petite.

Bhí an chuma ar an mblús a bhí beagnach tréshoilseach go raibh sí ag tabhairt aire do chruinneas a cófra agus na clúidíní slabhraithe ag brú ar aghaidh chun aird a fháil.

D'fhill sí ar an áit a raibh sé ar a ghlúine ar a chosa agus é ag caint ar an bhfón.

Bhog a bhróg idir a pluide chun iad a scaipeadh níos faide, rud a chuir ar an sciorta dul suas a pluide níos airde, ag nochtadh scoilt fhliuch a cunt riachtanasach.

Blushed sí ísliú a súile.

Nuair a bhí sé déanta lena glaoch, chas sé léi.

"Caithfidh mé a bheith as an oifig inniu, tá ríomhphost seolta agam chugat le liosta tascanna a chaithfidh tú a chur i gcrích inniu."

D'amharc sé uirthi agus í ag breathnú air, ag sméideadh beagán, ag fanacht air leanúint ar aghaidh, cé go raibh sé ag fanacht lena chloisteáil ag glaoch air a Mháistir.

"Tá, máistir." D'fhreagair sí agus a ciúnas níos faide, "An bhfuil tú chun a bheith imithe ar feadh an lae?"

"An chuid is mó den lá, tá, tá treoracha fágtha agam duit agus mé ag súil go n-oibreoidh tú amhail is dá mbeinn anseo ag faire ort."

Bhrúigh a chos idir a pluide, ag baint leis an scoilt fhliuch agus d'fhéach sé síos le mala ardaithe.

"Tá mo sionnach beag an-fhliuch."

Chlaon sé i bpóg í go domhain roimh cogar:

"Cé thú féin, a Shiúáin, cé thú féin agus an coileán te sin idir do chosa?"

Bhrúigh sé a bhróg níos deacra i gcoinne a folds mar chlaon sé isteach chun breathnú ar a blush domhain.

dúirt sí:

"Ó thusa, a Mháistir."

Ag brú agus ag cuimilt ladhar a bhróg ina h-aghaidh, d'iarr sé arís.

"Cé leis thú, a sclábhaí? Cé a dhéanann cailín chomh géar ionat"

Bhí a cromáin ag magadh agus an bhróg ag teannadh uirthi agus a h-anáil gafa ar a pants mar a d'fhreagair sí.

"A Mháistir, rinne tú an cailín seo do sclábhaí, do fraochÚn."

Bhí a aghaidh dóite le blush ag a focail féin.

Ní raibh sé in ann seasamh in aghaidh an chailín mheisciúil a bhí os a chomhair, chuaigh sé i mbun pinn lena nipple agus í ag bogadh ar a bhróg.

Growled sé go bog in aice lena aghaidh.

"Is ea. Is liomsa tú. Is liomsa mo stór luachmhar thú. Mise chun pléisiúir a thabhairt duit, mianach pian a chur ort, mianach a úsáid mar is mian liom."

D'fhéadfadh sé a corp beag a fheiceáil aimsir agus a súile sparkle mar twisted sí a nipple agus iachall a bróg crua i gcoinne a clit mar rocked a cromáin.

"Tar, mo sclábhaí beag gan ghá, tar i gcomhair do mháistir."

Rinne a chuid focal ríl intinne di agus an gá agus an t-ardú teasa ina corp.

Choimeád sé neirbhíseach agus fliuch í ar feadh ceithre lá, agus nuair a bhí sí ar a glúine ar a chosa, ag cnagadh ar a bhróg, bhí a fhios aige go raibh sí ina fraochÚn dó.

Chroith sé a croí, ach ní raibh sí in ann cabhrú leis na mothúcháin a léirigh sé inti.

Mar gheall ar an ngá le do thoil agus le géilleadh dó, bhí sí ag iarraidh air í a úsáid.

Chrom sí suas agus chuala sí a focail láidre ina cluas agus í ag crith agus ag slam isteach ina bróg.

Agus í á choinneáil ina seasamh in aice lena siní, d'fhiafraigh sé go ciúin:

"Cad a deir tú, soith?"

"Go raibh maith agat, múinteoir."

Lig sé di teacht, ligean di rub í féin agus é ag bogadh a chos.

"Foghlaimíonn tú mo sclábhaí go bhfuil áthas orm. Glan anois do phraiseach de mo bhróg."

Ag cuimhneamh ar an uair dheireanach a d'iarr sé uirthi a bhróg a ghlanadh, chlaon sí síos agus ligh sí an leathar clúdaithe le slaim.

D'fhéach sé ar a sclábhaí agus chuir sé iontas ar a géilliúlacht.

Bhí a oiliúint imithe níos fearr ná mar a d'fhéadfadh sé a thuar.

Bhí súil aige inniu go dtuigfeadh sí go raibh gá aici leis mar a Máistir an oiread agus ba mhian leis a shealbhú agus a choinneáil.

Aoibh sé mar a knelt sí síos agus d'fhéach sé suas air, stríocaí mascara síos a leiceann.

"Glan suas do praiseach ar an deasc níos déanaí. Tá roinnt rudaí a dhéanamh sula dtéann mé."

D'fhill sí ar a deasc agus scáileán an ríomhaire á díbhe.

***

Sheas sí suas agus shiúil unsteadily go dtí an seomra folctha a ghlanadh suas í féin agus a dheisiú a makeup agus gruaige.

Ansin chuaigh sé chuig a dheasc chun athbhreithniú a dhéanamh ar na tascanna a chuir sé chuige.

Shuigh sí síos gingerly, buíoch as an oireann bog agus cathaoir padded, agus chas ar a ríomhaire.

De réir mar a thosaigh an lá ag teacht ar an saol, tháinig sé amach as a oifig chun seasamh taobh thiar di, ag rith lámh thar a gualainn chun cupán a cófra agus d'éiligh sé go bog:

"Ní fhágann tú go bhfillfidh mé daor daor, tá súil agam go bhfuil tú anseo ag fanacht liom."

Phion sé an clúidín a bhí á bhualadh aige agus í ag caoineadh go bog.

"Bí sclábhaí maith, feicfidh mé thú nuair a rachaidh mé ar ais."

Leis sin, chlaon sé a aghaidh isteach í agus phóg í go bog ach go domhain roimh dul go dtí an ardaitheoir agus imeacht.

Chuala sé an t-ardaitheoir gar agus bhraith sé braon caillteanais.

sí imithe uaidh chun labhairt leis ar feadh ceithre lá agus mar sin bhraith sí uaigneas gan choinne.

An ardaitheoir dinged arís, agus sheas sí suas chun beannú dó, ach amháin chun teacht ar fhoireann na cistine agus glantóirí ag dul isteach san oifig.

Mhínigh siad gur iarradh orthu bricfeasta a thabhairt leis agus seomra an Uasail Robert a ghlanadh ar maidin, mar níorbh fhéidir leo aréir.

Bhí ionadh uirthi.

"Bhí socraithe aige a gcuid bricfeasta?"

Shruth a smaointe trína aigne agus iad ag féachaint uirthi.

"An féidir linn teacht isteach anois?"

Lig sí dóibh í a leanúint tríd an doras agus beagnach ar a ghlúine síos chun sracaireacht mar a bhí aici le ceithre lá anuas.

sí momentarily stunned ag a gluaiseachtaí féin agus iad a fheiceáil ag tosú ar a gcuid tascanna, d'fhill sí ar a deasc.

Bhí sí caillte ina smaointe féin ar feadh i bhfad go dtí gur tháinig bean óg miongháire chuici le tráidire.

D'fhéach Susan suas le tosú agus ghlan sí spota ar a deasc.

Rinne an cailín aoibh.

"Bhí an tUasal Robert an-sonrach faoin méid a bhí sé ag iarraidh ar A Susan Susan agus d'fhág sé nóta di."

Ag cur síos an tráidire, rinne sé aoibh gháire agus d'fhill sé ar an seomra chun cabhrú leis na daoine eile.

sú dath luí na gréine a shaincheapadh an meascán de thorthaí uisce beatha agus paisean a raibh an oiread sin grá aici uirthi.

Nuair a thuig sí cé chomh ocras a bhí sí, ghlac sí greim, ligh sí a méar, agus phioc sí suas an nóta.

"Iontaobhas i do Mháistir, a dhuine bhig, beidh meas aige ort i gcónaí agus tabharfaidh sé aire do do chuid riachtanas. Is tú mo stór is luachmhaire. Robert."

D'ith sé agus chuaigh sé ar ais go dtí a ríomhaire ag féachaint ar an liosta le déanamh a bhí fágtha aige.

Bhí sí chun bualadh le Anne don lón!

Rinne sé aoibh gháire geal, thaitin an blonde go mór leis agus ag tnúth go mór leis an deis labhairt léi féin faoi na ceithre lá deiridh.

Rinne sí aoibh gháire, ba í Anne an chéad duine a bhuail sí sa chuideachta nuair a tháinig sí chun na hoibre, sular tháinig sí chun bheith ina sclábhaí nó fiú go raibh a fhios aici go raibh na cineálacha gníomhaíochtaí seo ar bun san oifig.

Níor thuig sí riamh cé chomh naive a bhí sí go dtí an tseachtain seo, agus bhí súil aici go bhféadfadh sí a chur ar Anne roinnt de na ceisteanna a bhí ar a aigne.

Thóg sé nóiméad air díriú ar ais ar an jab idir lámha.

Chaith sí an chéad uair an chloig ag seoladh ríomhphoist buíochais chuig na Máistrí ar bhuail sí léi an lá roimhe as a gcineáltas léi, agus díríodh go speisialta ar an Máistir Barry.

Bhí an fuip a thug a Máistir di le pionós a ghearradh uirthi.

Bhí na bruises aige as sin fós.

D'iompaigh a smaointe ar gach cailín agus cé chomh sásta a bhí an chuma orthu.

Ba mhian léi go mbeadh níos mó ama aici ceisteanna a chur orthu faoina saol mar sclábhaithe.

Tháinig na cailíní foirne amach as an seomra ag piocadh suas a tráidire ar an mbealach amach.

"D'fhágamar an cuisneoir stocáilte mar a iarradh. Ar mhaith leat an seomra a sheiceáil sula bhfágann muid?"

"Ó, tá mé cinnte go bhfuil sé ceart go leor." Aoibh sí.

Ach ar a áiteamh nua, sheas sé suas agus isteach san oifig, ag siúl i dtreo deasc a Mháistir.

Stróc sé dromchla an deasc adhmaid go réidh agus go domhain.

Deasc a chlaon sí ina aghaidh níos mó ná uair amháin agus blush sí, ag breathnú suas go raibh an fhoireann glantacháin ag breathnú uirthi.

Rinne sí deifir isteach i ngach seomra chun iniúchadh cursory a dhéanamh, agus gan fiú rud as áit a fheiceáil, rinne sí miongháire orthu.

"Dealraíonn sé foirfe dom. Go raibh maith agat."

Shiúil sé ar ais go dtí a dheasc leo agus shocraigh sé ag an mbord chun a chuid oibre a atosú.

Chuala sí an t-ardaitheoir oscailte agus gar ag fágáil léi féin agus a smaointe arís.

Lean sí ar aghaidh le luas mall na hoifige ó lá go lá, ag freagairt gutháin, ag comhdú, ag déanamh coinní, a smaointe ag sileadh i gcónaí chuig a Máistir.

Thuig sí, fiú ina smaointe féin, nár thug sí Robert air a thuilleadh.

Fear an-éilitheach a bhí ann, fiú nuair a bhí sé beag agus mar sin d'fhás sí suas agus bhí aithne aige air mar fhear dian ach grámhar.

Bhí sé millte í nuair a thug sé cuairt uirthi, ach bhí sé chomh héasca céanna bealadh uirthi is a dhéanfadh a athair dá ndéanfadh sí aon rud mícheart.

Chuimhnigh sí radharc ar éirí amach gearrchónaí i gcoinne a tuismitheoirí diana nuair a bhí sí ina déagóir.

Ba le haghaidh dinnéir a d'áitigh siad go bhfreastalódh sí uirthi seachas go raibh sé beartaithe aici codladh thall i dteach carad.

Toisc go raibh fearg uirthi, tháinig sí gléasta i éadaí shoddy agus makeup dorcha.

Bhí uafás ar a máthair agus dhiúltaigh sí féachaint uirthi, ach ba é an rud a chuir iontas mór uirthi ná an fearg díomách ar aghaidh a hathar, beagnach mar a bhí le feiceáil ina Máistir.

Bhí a fhios aici nach ndéanfadh a hathair radharc os comhair na n-aíonna, ach shiúil an Máistir suas chuici, ghabh í le dorn clenched timpeall a lámh uachtair, agus thug sé ar ais go dtí a seomra í chun a éileamh go bhfillfeadh sí ar an. seomra suí Cosúil leis an gcailín milis ní raibh a fhios aige.

Lig di na héadaí cailleach olc a bhí uirthi anois a bhaint de agus é a ghléasadh go cuí le bheith bródúil as a tuismitheoirí.

Bhí sí ag gol agus ag screadaíl, ach ní raibh focal eile ráite aige, á tharraingt isteach sa chith, á oscailt, agus á caitheamh go hiomlán éadach istigh sula siúl amach as an seomra.

D'fhill sé orthu an oíche sin ag iarraidh maithiúnas a fháil.

Rinne a hathair agus a máthair neamhaird di as a gcuid feirge agus díomá, ach bhí Máistir agus a bhean ag gníomhú amhail is dá mba rud ar bith a tharla.

Bheannaigh siad di agus d'áitigh siad go raibh milseog aici, cé gur chaill sí an béile go hiomlán.

"A bhean!" Shíl sé agus d'imthigh a aigne isteach i bpoll corrach, "Cad tá mé a dhéanamh! Is adhaltranas é seo!"

Tháinig suaitheadh uirthi ina aigne faoin méid a thuig sí.

Ghlaoigh an fón arís, ag cur isteach ar a chuid smaointe.

Ba é guth imníoch a mháthar an té a d'fhreagair a bheannacht.

"Tá do ghuthán múchta fós agus ní raibh tú abhaile nuair a ghlaoigh mé ar maidin, an bhfuil tú ceart go leor a Susan?"

Oh wow, a cheap sé, rinne sé dearmad go hiomlán a ghuthán a chasadh air ar maidin.

"Tá gach rud go breá, caithfidh mé ceallraí nua a bheith ag teastáil uaim do mo ghuthán. Cuirfidh mé in aisce é anois. Thosaigh mé ag obair go luath ar maidin agus bhí mé chomh gnóthach sin níor sheiceáil mé é."

Bhí leisce ar a máthair agus sigh sí go mór.

"Bhuel, chomh fada agus atá tú ceart go leor, tá tú ag obair ró-chrua le déanaí. Beidh orm d'athair a fháil chun labhairt le Robert. Sílim go bhfuil sé ag caitheamh leat má tá tú ag dearmad fiú faoi do mháthair bhocht. "

"Conas is féidir leis an mbean seo tú a chur faoi deara chomh ciontach?"

Athrú meon chun a bheith ina cailín beag pionósaithe agus d'impigh:

"Ó, a Mhamaí, ná déan é sin. Tá brón orm faoin méid a tharla agus ní tharlóidh sé arís, ach is iníon neamhspleách, dícheallach mé anois. Caithfidh tú a thuiscint go bhfuil obair le déanamh agam. Tá mé ag cur mo ghuthán ar siúl anois, ceart go leor?"

Ba é an rud deireanach a theastaigh uaidh ná go mbeadh a athair ag caint leis an Máistir.

"Bhuel go maith." Chuir a máthair sos ar sos sular thosaigh sí ar thactic eile, "Susan, beidh tú anseo go luath amárach, beidh go leor cabhrach ag teastáil uaim chun rudaí a réiteach, ar eagraigh tú do chulaith? An gá duit d'athair a phiocadh suas le Agus an buachaill sin? "Cad a chonaic tú ag teacht leat?" Bhí an focal buachaill uttered le dímheas ag taispeáint a disgust.

D'iompaigh a boilg anonn ar an gceist, bhí sí chomh stróicthe sin idir déanamh ceart ag a tuismitheoirí agus géilleadh don Mháistir, gur leasc léi nóiméad rófhada.

"Susan, Susan! An bhfuil tú ann? Cad atá cearr? Tá rud éigin cearr. Is féidir liom a bhraitheann!"

Shuigh Susan le ton a máthar.

"Níl aon mham, níl aon rud mícheart, tá gach rud go breá. Tá mé chomh gnóthach anseo ag an obair go gcaillim fócas. Ná bí buartha, beidh mé ann." Dúirt sí arís, "Níl mé cinnte cén t-am a bheidh mé in ann imeacht. Ní dóigh liom go mbeidh Harry in ann teacht in aice leis, ach ná bí buartha. Cuirfidh mé glaoch ar dhaid má theastaíonn turas uaim, ceart go leor? "

Rinne a máthair sigh go mór ar an taobh eile den teileafón agus dúirt:

"Bhuel, ar a laghad go bhfuil dea-scéal."

Thuig Susan go raibh a máthair ar tí cur chuige eile a dhéanamh, agus mar sin ghearr sí amach go tapa í:

"Mama, tá go leor oibre le déanamh agam muna bhfuil fonn orm a bheith anseo ar feadh an lae amárach agus é á chríochnú. Caithfidh mé crochadh suas. Agus ná bí buartha an oiread sin, beidh gach rud go breá."

Thosaigh a máthair ag labhairt arís, ach lig Susan uirthi go raibh duine éigin léi, ag cur a lámh ar an bhfón agus ag iarraidh ar an duine samhailteach a shuíochán a ghlacadh sula ndéanfadh sé cogar,

"Caithfidh mé mamaí a chrochadh, feicfidh mé amárach thú. Is breá liom tú."

Nuair a chroch sé suas, sheiceáil sé na teachtaireachtaí ar a ghuthán.

Bhí teachtaireachtaí buartha óna thuismitheoirí agus teachtaireacht amháin ó Harry.

Bhí súil aige go raibh sí ag baint suilt as an am a thug sí di féin.

Bhí mé ag dul amach le cairde ar feadh deireadh seachtaine fada, b'fhéidir seachtain, agus bhí mé chun glaoch uirthi ag deireadh na seachtaine seo chugainn chun labhairt.

Sounded sé irritated agus sighed sí, ar a laghad leis an Máistir a fhios aici cad a bhí sí agus nuair a bhí sé.

Reoite sí.

An raibh cúram uirthi i ndáiríre cad a rinne sé?

Faoi láthair b'fhéidir, ach tar éis na seachtaine seo cé a fhios...

Faoi láthair, bhí a fhios aici cad a bheadh i gceist leis in ionchais an Mháistir.

Phioc sé suas an fón agus dhiailiú a huimhir.

D'fhreagair sé le gáire ina ghlór agus rinne sí osna faoisimh...

"Dia duit mo Susy beag, ar lean tú mo threoracha fós?"

"Tá, máistir."

D'inis sí an comhrá a bhí aici lena máthair agus mar a mhothaigh an bhean chomh beag agus chomh ciontach sin í.

Cé chomh stróicthe agus faitíosach a bhí sí é nó a tuismitheoirí a ligean síos.

Bhí uirthi a culaith a phiocadh suas go fóill agus conas nach raibh sí cinnte an raibh sí chun tiomáint an bealach sin ar fad ina haonar nó an mbeadh orthu í a phiocadh suas.

Deifir sí anonn agus é ag éisteacht, ag insint di mar a d'fhág a fear teachtaireacht ghearr di faoina turas.

Chuala sé an imní ina glór agus í ag caint faoina máthair.

Níor dúirt sé faic agus d'inis sí an scéal ar fad dó faoi nár cuireadh a fón ar siúl, an glaoch agus na teachtaireachtaí a bhí ag fanacht léi.

Ar deireadh stad sí agus d'fhreagair sé go géar:

"Rinne tú go maith glaoch a chur orm agus do chuid imní a chur in iúl dom. Iontaobhas dom an duine beag, tabharfaidh do Mháistir aire do gach rud, ná bíodh imní ort níos mó. Glaoigh ar an siopa éadaí agus cuir d'ordú ar ceal. Roghnóidh mé feisteas oiriúnach do mo sclábhaí."

Bhí sí chun tosú ag argóint, ach stop sí go ciúin ag freagairt:

"Tá Máistir".

"Maidir le Harry, is dóigh liom má tá tú macánta leat féin, tá a fhios agat nach é an fear duit é. Níl ann fós ach leanbh, agus tá sé cantalach freisin." Sos sí agus labhair dáiríre, "Iontaobhas dom an duine beag, beidh gach rud go breá. Déan mar a d'iarr mé inniu, beidh mé ar ais níos déanaí."

leis agus chroch sí suas, ag mothú imníoch ach níos fearr ná mar a dúirt sí.

Phioc sí suas an fón arís agus rinne sí glaoch eile chun a cíos sa siopa éadaí a chur ar ceal.

D'fhéach sé ar a uaireadóir, ní raibh sé in ann fanacht níos faide le haghaidh lóin le Anne agus bhí am fós.

B'éigean dó labhairt le duine a thuig an cás ina raibh sé.

"Ní thuigfeadh aon duine sa chiorcal cairde atá aici faoi láthair gur aontaigh sí maireachtáil mar sclábhaí le cúpla lá anuas."

Chuir an smaoineamh ar insint d'aon duine í a shudder.

"Shíl siad go raibh sí ina anchúinse. A Dhia, bhí sí ag wondering í féin!"

D'imigh sé ina shuíochán, agus mhothaigh sé na bruises a thug chuig orgasm chomh dian é.

"Ba é an rud a tharla di gur thuig sí nach bhféadfadh sí fuath a thabhairt dó mar gheall ar na brúnna, na pionóis, agus na héilimh a chuir sé uirthi. níos mó."

Shuddered sé a fhios agam go raibh áthas ar a chorp le gach taithí painful agus uiríslithe a thug sé di, chomh maith leis an cúram tairisceana a thug sé di.

Bhain sí a liopaí ag cuimhneamh ar a phóga boga ach doimhne a chuir uirthi...níl a fhios aici cad a mhothaigh sí a thuilleadh.

* * *

Robert a ghuthán agus aoibh go forleathan.

"Bhí Susan ag tosú ar an smacht a theastaigh uaidh a thabhairt dó thar a shaol, ní hamháin a chorp."

Lean sé ar aghaidh lena chuid pleananna, bhí feisteas roghnaithe aige di dhá lá ó shin nuair a ghlac Anne a cuid tomhais.

Labhair sí le dearthóir agus cuireadh le chéile é sular fhaomh sí é déanta di.

Ina intinn, chonaic sé í á caitheamh, a corp aibhsithe go foirfe agus a aghaidh frámaithe.

D'aistrigh sé go míchompordach mar a thiomáin sé.

Níor tháinig aon laghdú ar a mhian a bheith léi agus í a chéasadh i gcónaí le ceithre lá anuas.

Theastaigh uaidh rud éigin eile uaithi, ach inniu b'éigean dó rudaí áirithe a fheiceáil a bhí i ndán di nach raibh sé ag iarraidh a fhágáil níos faide.

Ag fágáil an mhórbhealaigh ag déanamh bóthar níos moille i dtreo an bhaile sléibhe a bhí mar cheann scríbe acu, bhrúigh sí an cnaipe ar a lámha saor in aisce agus ghlaoigh sí ar athair Susan.

iontas ar Caty , ach chuala mé go raibh tú ag tabhairt am crua do Susan ar an bhfón." , as a rá léi go mbeadh cabhair uaithi nuair a d'fhág sí an oifig.

Paul gáire.

"Is beag an ráiteas é sin, ba cheart go mbeadh a fhios níos fearr ag Caty cén chaoi a bhfuil Susan ag cur as don obair."

"Ní hea, ná bíodh imní ort fúithi ag glaoch ar Susan ag an obair. Tá gach rud go breá. Agus táim cinnte go mbeidh sí níos fearr nuair a thabharfaidh tú ár n-iontas di amárach. Beidh sí chomh gnóthach sin ag glanadh daoine, bhí mé ag déanamh iontais. mura ndéanfadh sí "An miste leat dá rachainn suas le Susan san iarnóin. In ionad í a thiomáint an bealach sin ar fad léi féin nó cur isteach ar na hullmhúcháin duit chun í a phiocadh suas."

"Bhuel," a mheas Pól, "bheadh sé ina ualach orm gan a bheith ag smaoineamh ar thiomáint liom féin. Agus nach bhfuil an buachaill sin a thaitníonn léi ag teacht?"

Rinne Robert snort gan a disgust a cheilt ar bhuachaill Susan.

"Ní dóigh liom go bhfuil sí ag féachaint air faoi láthair, rud maith má iarrann tú orm."

D'aontaigh Paul go hiomlán:

"Cinnte Robert, bheadh sé iontach má thugann tú Susan níos gaire duit. Ná bí buartha faoi Caty , míneoidh mé di go bhfuil sé seo don chuid is fearr agus go mbeidh gach cúnamh a theastaíonn uaithi go dtí go dtiocfaidh Susan tráthnóna. "

"Má theipeann ar gach rud eile, cuir glaoch ar mo bhean chéile chun cabhair a fháil, tá sí gar duit." Robert gáire.

"Ní thuigim cén fáth nach n-éiríonn leat beirt colscartha, nach bhfuil tú i do chónaí le chéile le blianta anuas. Faigh duine éigin chun tú a thógáil amach as an gcomhlacht sin uair amháin ar feadh tamaill."

"Bhí an chuma air go raibh sé níos éasca maireachtáil seachas dul tríd an hassle go léir, is cairde iad Carla agus mé tar éis an tsaoil, ach is dócha go bhfuil an ceart agat. An dlíodóir i gcónaí, an bhfuil níos mó gnó á lorg agat?" Rinne sé gáire arís.

"Ó tá ar ndóigh". D'fhreagair Paul curtly. "Ceart go leor, feicfidh mé amárach thú, go raibh maith agat as gach rud. Abair le Susan gan a bheith buartha, labhróidh mé le Caty .

Dúirt siad a gcuid slán agus scríobh sé síos go meabhrach ar a liosta é agus é ag tarraingt isteach i gcabhsán cábáin bhig agus ag gáire.

Chuaigh sé isteach sa siopa.

Bhí grá aige ar an áit seo, chomh neamhchiontach ar an gcéad amharc, ach bhí aithne mhaith air i measc a chairde ciorcal mar gheall ar a chuid éadaí fetish agus earraí leathair.

Tháinig cailín chuige.

"Máistir Robert?" chrom sí a ceann agus Chlaon sé beagán. "Tá an Bhaintighearna ar shiúl, tá eagla orm, ach tá do chulaith réidh agam."

Lean sí an cailín isteach i seomra eile, ag miongháire agus í ag féachaint ar an mannequin Susan-iarrachtaí, fillte sa chulaith a shamhlaigh sí, bhí sé foirfe.

"Coinnigh dom é, beidh mé é a ghlacadh liom anois."

Chuir sé glaoch ar Susan agus é ag fanacht agus rinne sé aoibh gháire nuair a d'fhreagair sí an fón.

"Dia duit sclábhaí beag. Ag obair go dian ar son do Mháistir?"

"Ó tá Máistir, ar ndóigh." D'fhreagair sí go tapa.

"Tá mé ag labhairt le d'athair." Chuala sé a gasp, agus mar sin rinne sí deifir a rá, "Ghlaoigh mé air agus chuir sé in iúl dó go bhfuil mé ag tabhairt leat liom tráthnóna amárach." Ina smaointe, d'fhéadfadh sé a fheiceáil beagnach a aghaidh buartha agus a liopaí biting mar a d'fhan sí ciúin. "Déanfaidh d'athair rudaí réidh le do mháthair, ná bí buartha."

Go hesitantly, d'fhreagair sí:

"Sea, a Mháistir. Go raibh maith agat a Mháistir."

"Cailín maith. Tá beagán cabhrach socraithe ag d'athair agus mé féin mar iontas do do mháthair, mar sin lig do scíth, tabharfaidh do Mháistir sclábhaí beag aire duit. Iontaobhas dom."

Ar strae, níorbh fhéidir léi ach freagra a thabhairt ar ais:

"Sea, a Mháistir. Go raibh maith agat a Mháistir."

Aoibh sé isteach ar an teileafón.

"Tá tú mianach, Suzy."

Gan aon rud eile a rá, chroch sé suas agus thóg sé an pacáiste d'éadaí an chailín agus d'fhill sé ar a charr.

* * *

As sin thiomáin sé go dtí bialann chiúin agus d'fhéach sé ar a uaireadóir.

"Díreach in am".

Bhí duine dá chairde is sine, Andrew, ag fanacht leis.

Shuigh sé síos lena chara, go suaimhneach, agus labhair siad faoina saol.

Ag druidim le deireadh an bhéile, thóg Andrew trí phacáiste óna mhála cáipéisí agus shleamhnaigh sé trasna an bhoird iad.

"Tá gach ceann acu seo in oiriúint do na sonraí a thug tú dom, agus tá siad chomh maith leis an méid a d'ordaigh tú, tóg iad agus cuir in iúl dom más mian leat ceann amháin nó gach ceann de na trí a choinneáil, nó b'fhéidir gur mhaith leat níos mó." A dúirt Andrew le wink.

D'oscail Robert na boscaí ag hissing ar na dearaí íogaire agus a mhéara á rianú.

"Is ealaíontóir tú, a chara."

Andrew shrugged.

"Is leatsa an dearadh. Thug mé beo é. Caithfidh mé a rá go bhfuil mé fiosrach faoin gcailín a ghlac an oiread sin súl ort mar gheall ar an éagsúlacht leathan atá ann. Seo é spíosra an tsaoil, a Robert."

Robert winked.

"Cad is féidir liom a rá? Fuair mé rud éigin a theastaíonn uaim agus tá sé beartaithe agam é a choinneáil liom ar feadh i bhfad."

Dúirt siad a gcuid slán go luath ina dhiaidh sin, agus d'fhill sé ag tiomáint.

Fuair Robert, faoi cheangal a obsession, an chéad lá sin, nuair a bhí sé faoi cheilt a dhéanamh mar chluiche, gur chuir sé iallach uirthi a bheith ina sclábhaí aige as náire agus náiriú.

Bhí sí chomh milis agus naive go raibh sé ag súil léi a bheith níos resistant a oiliúint, ach a nádúr submissive nádúrtha a thug uirthi aontú lena éileamh.

Ba é a frithghníomhartha ar na pionóis agus na náiriú a bhí ag éirí níos déine a chuir ionadh air, ag aimsiú gné sadomasochistic inar éirigh pian erotic.

Níor chuir sé seo ach go raibh sé ag iarraidh í níos mó agus níos mó agus bheartaigh sé í a choinneáil leis nuair nach raibh ach cúig lá smaoinimh aige ar dtús.

Bhí sí ina aisling fíor agus bhí sí aige.

* * *

D'fhéach Susan ar an bhfón agus chuir sé síos go mall é.

Ar bhealach éigin d'éirigh leis a thuismitheoirí agus a shaol a eagrú le glao gutháin amháin.

Bhí a fhios aici go mbeadh sí fós ag tabhairt aghaidh ar amharclanna a máthar as a bheith déanach, ach bhraith sí an sreabhadh teannas uaithi.

Muinín, a dúirt sí léi féin, ní raibh le déanamh aici ach muinín a chur ina Máistir agus go n-oibreodh rudaí amach.

Bhí a intinn ag eitilt chuige arís, a chúram, a imní, a chaoiniúlacht, ag teannadh lena rialacha, ag éileamh an tslí inar phionós sé í agus rinne sé orgasm di, ceann i ndiaidh a chéile, lena úsáid.

Pictiúr sí a aghaidh dathúil, sean go leor le bheith ina hathair, agus fuair sé arís géilliúil di cibé rud a theastaigh uaithi.

Ba é an greim iomlán gnéasach a bhí aige uirthi a chuir an oiread sin fonn uirthi dá phionóis.

Bhí a fhios aici nach raibh sé ina chónaí i ndáiríre lena bhean chéile sa teach sléibhe in aice lena thuismitheoirí le blianta fada, ag taisteal go dtí an chathair le haghaidh cruinnithe i gcónaí.

Shamhlaigh sé iad le chéile ag iarraidh a intinn a chur le chéile timpeall an chaidrimh le Carla baileach agus cara, a bhí níos cairde lena chéile ná mar a bhí gean.

Níorbh fhéidir léi a shamhlú go gcaithfí le Carla mar sclábhaí.

D'iompaigh a aigne ar an bhfocal adhaltranas.

Bhí an méid a bhí á dhéanamh aige mícheart ar an oiread sin leibhéal, sclábhaíocht, adhaltranas.

An náire a bhí sí ag mothú le ceithre lá anuas nite thar a arís agus lean sí ar ais ina cathaoir, dúnadh a súile.

Bhí an oiread sin mearbhall uirthi gur thóg sí anáil dhomhain.

"Seachtain amháin" muttered sí léi féin arís agus arís eile mar mantra. "Ansin labhróidís. Seachtain. Seachtain..."

Ag an nóiméad sin ghlaoigh an t-ardaitheoir, ag cur isteach ar a smaointe agus chuaigh Anne isteach ag miongháire.

"Tabhair ar láimh an teileafón go dtí an seomra oifige, mil, agus a ligean ar a fheiceáil cad delicacies siad fágtha againn."

Scuab Anne anuas uirthi agus trí dhoirse na hoifige.

I daze, chuir Susan an fón amach agus lean an bhean tríd an oifig agus isteach sa chistin.

"Ó," bhí Anne rudaí a thógáil amach as an cuisneoir, "Robert Tá an blas is fearr."

Ghlac sí plátaí arda agus líonann sí iad le sailéad portáin agus papaya glas agus ag stealladh uisce mianraí, thug sí tráidire torthaí úra agus earraí seacláide do Susan.

Phioc sí suas an tráidire eile agus i gceannas ar na cathaoireacha compordach.

Fós cinnte má ba chóir di a bheith ag déanamh rud ar bith, bhreathnaigh sí Anne leagtar a tráidire síos ar tábla íseal agus plopped síos ar an tolg leathair stuffed ar an mhaolú in aice léi.

"Anois, a Susan beag milis, a ligean ar gossip."

Shuigh Susan síos agus rinne aoibh gháire ar an mbean.

Ní raibh a fhios aici cá dtosódh sí, mar sin in ionad na ceisteanna go léir a chur uirthi, phioc sí suas a pláta agus an sailéad.

Anne aoibh.

"Tá a fhios agat go bhfuil gach cineál gossip fút tar éis inné."

Leathnaigh súile Susan agus thacht sí ar an mbéal a bhí á shlogadh aici, ag déanamh gáire as Anne agus chroith sí a ceann.

"Níor shíl tú nach mbeadh na cailíní ag bragáil sa chlub go raibh Robert ag smaoineamh ar a sclábhaí féin a thabhairt gan éinne tar éis an ama seo ar fad agus go bhféadfaidís bualadh leat."

Thóg Susan sip den uisce agus thóg anáil dhomhain.

"Ach tá sé pósta. Cinnte..."

Chuir Anne isteach uirthi.

"Níl aon cac. Tá bean beag sa bhaile ag an gcuid is mó de na Máistrí sa chlub chun aire a thabhairt don teaghlach agus don teach agus déanann siad cuma measúil orthu siúd lasmuigh den stíl mhaireachtála seo. Is polaitíocht agus gnó ar fad é agus is beag a chiallaíonn sé don chuid is mó. de na daoine sa chuideachta seo agus sa chlub."

"Inné chuala mé trácht ar chlub. Inniu luann tú arís é. Cad é go díreach?" D'iarr Susan go ciúin agus í ag glacadh leis an smaoineamh nach raibh i bpósadh an Mháistir ach aghaidh.

"Ó mil, tá súil agam a bheith ann an chéad uair a shiúlann tú trí na doirse, ach a fheiceáil ar na súile móra álainn sin de do chuid féin agus iad ag leathnú. Feicfimid, is club an-phríobháideach é agus déantar grinnfhiosrúchán ar bhallraíocht. Is áit í a mbíonn fir ag súil leis. nó Is féidir le mná Ceannasach a gcuid sclábhaithe a ghlacadh agus a bheith iad féin.Tá sé cosúil le club oíche, ceol agus rince i seomra amháin, barra pianó i limistéar eile, fiú bialann. Is áit iontach í. Ní fhostaíonn na húinéirí ach daoine agus sclábhaithe submissive chun fónamh ann. Go bunúsach, is leis an gclub iad."

D'éist Susan, ag coganta go mall ar a sailéad.

"Nuair a labhraíonn tú, fuaimeanna sé ar fad an-gnáth do dhuine, ach tá sé an-neamhréadúil dom. Roimh an tseachtain seo, shíl mé go raibh sé mídhleathach rud éigin mar sin a bheith agat."

"Is dócha gur focal salach é úinéireacht. Smaoinigh air seo mar chaidreamh grá agus muiníne cosúil leis an chuid is mó de na caidrimh eile, ach amháin, inár gcaidrimh, tá an chumhacht ar fad ag duine amháin, an ceann ceannasach. In ionad fáinní a mhalartú agus ligean orthu féin a bheith comhionann Is maith le comhpháirtithe sa phósadh, inár stíl mhaireachtála déanaimid trádáil ar chumhacht agus mar sin níl ach ceann amháin i gceannas agus an ceann eile mar gheall ar easpa focal níos fearr a bheith faoi úinéireacht agus de ghnáth tugtar muince in ionad fáinne. , ach is é do bhronntanas é a thabhairt, agus is mór an fhreagracht é don té a ghlacann é. An dtuigeann tú níos fearr é mar sin?"

Chlaon Susan go mall, ach tháinig mearbhall ar a súile agus í ag iarraidh a smaointe a bhí ag damhsa timpeall uirthi a dhíphacáil.

"Na sclábhaithe go léir a bhuaileamar inné, ar thug siad cumhacht dá Máistreachta os a gcionn? Go toilteanach?"

"Ní hamháin gur thug siad é, ach d'impigh siad ar a Máistrí é a ghlacadh." Anne gáire go sona sásta, "Doms bhfuil egos mór den sórt sin go breá leo a chloisteáil cailín impigh a líonadh agus a sheilbh."

"Fiú tú?" D'iarr Susan go ciúin.

Anne gáire.

"Mil, is é mo rud go hiomlán difriúil. Fuair mé isteach i roinnt mischief airgeadais, Robert agus a chuideachta fóirithinte dom amach, thug dom an t-airgead a fháil amach as an trioblóid, agus mar mhalairt shínigh mé suas le bheith ar cheann de na cuideachta sclábhaithe ar feadh trí. Chomh maith leis sin, beidh mé saor ó fhiacha as rud éigin a bhfuil grá agam dó a dhéanamh ar aon nós. Mar fhreagra ar do cheist, áfach, mura mbeadh, d'impigh ar Mháistir éigin saor go mbeadh fonn air an muince a chur orm."

Chuaigh aghaidh léiritheach Susan ó iontas, go míchreideamh, go dtí iontas.

"An sclábhaí nó Máistir é gach duine sa chuideachta?"

"Dia, ní hea, ach tháinig roinnt cailíní go dtí an chuideachta cosúil liomsa. Tá cuid de na feidhmeannaigh Máistreachta, agus mé ag freastal orthu. Bhuel, ach Alan Clarkson faoi láthair." Rinne sí aoibh nuair a dúirt sí é. "Ach is é mo sheal anois ceisteanna a chur, conas a bhí tú anseo?"

Labhair Susan faoina saol.

Mar a d'fhás sí aníos agus a bhfuair sí aithne ar an Máistir agus mar a thairg sé an post di nuair a d'fhág sí an ollscoil.

Mar a bhí sé ina mheantóir agus ina chara aige go dtí an tseachtain seo.

Thosaigh gach rud ag sreabhadh go réidh nuair a thosaigh sí ag caint.

An cluiche, an bealach a d'fhreagair sí dá casta, bhraith iallach é seo a dhéanamh, ach anois ní raibh sí chomh cinnte conas a mhothaigh sí faoi rud ar bith, go háirithe a Máistir.

Thug Anne barróg di agus labhair dáiríre:

"Níor thuig mé sin riamh. Tá aithne agam ar Robert le fada an lá agus ní raibh aithne agam air rud ar bith a chur i bhfeidhm ar chailín.

Stop sé, ag smaoineamh ar an fear enigmatic.

Shábháil sé na cailíní ó sclábhaíocht eacnamaíoch maslach nó éigean, agus d'imir sé ceanáin, ach níor léirigh sé aird ar leith ar cheann de na cailíní go heisiach roimhe seo .

"Tá mé chun na miasa seo a ghlanadh agus tú ag smaoineamh ar a bhfuil mé ag dul a insint duit," d'éirigh Anne agus d'fhéach sé ar Susan go dáiríre. "Dá dtabharfaí an rogha duit anois siúl amach agus gan breathnú siar, ag dearbhú duit féin nach bhfeicfidh tú arís é, agus go mbeadh a fhios agat nach n-inseodh Robert do dhuine ar bith cad a tharla." Stad sí go hachomair ag ligean do na focail socrú síos ina aigne. "Nó fanacht agus a bheith ar an mbealach a theastaigh uaidh, cad a roghnófá?"

D'éirigh sí ag piocadh suas na plátaí agus ag féachaint ar an abairt mearbhall a chuir Susan leis.

"Tá a fhios agam nach dtuigeann tú é, ach tá an chumhacht go léir agat anois, a Susan. Is féidir leat é a thabhairt dó gan bhac, nó is féidir leat é a choinneáil agus siúl as seo."

Leis sin shiúil sé isteach sa chistin ag fágáil Susan lena smaointe.

Bhí stunned Susan.

Níor smaoinigh sí riamh air mar sin.

"Ó, bhí amanna le cúpla lá anuas go raibh a mheas sí ag rith. I bhfolach, ag rith amach, nó díreach ag rá gan agus ag fágáil."

Giotán sí a liopa, nuair a smaoinigh sí gan a rá leis an Máistir rinne sí meangadh gáire.

"Bheadh díomá air agus bheadh sé i gceist a díomá pionós," twisted sí a asal brúite ag an smaoinimh agus a aghaidh isteach ina aigne, aoibh gháire dorcha dathúil ag imirt ar a liopaí mar nuair a bhíonn sé sásta léi.

Rud i dteagmháil léi go domhain taobh istigh di, an gá atá le go mbeadh a fheiceáil go aghaidh sásta.

"Ní raibh, ní fhéadfadh sí siúl díreach amach as seo. Agus anois, níl sí ina aigne chun díomá air agus b'fhéidir, b'fhéidir ghortú dó. Bhí a fhios aici go raibh sí chun labhairt leis ar dtús. Ach d'fhéadfadh sé a thabhairt di na freagraí a theastaigh uaithi. . Bhí uirthi leanúint ar aghaidh." leis seo go dtí deireadh na seachtaine. Gheall sé go labhróidís ansin."

GLACADH

Ar ais ag a deasc, d'oibrigh Susan ar an gcúpla tasc deiridh a bhí aici, ach lean a intinn ag sileadh chuige.

Is ar éigean a thug sí am dó le stopadh agus smaoineamh le 48 uair an chloig anuas, ag líonadh gach nóiméad le hoiliúint agus le smacht.

Agus inniu bhí sí ina haonar agus leis an iomarca ama chun smaoineamh.

Chaill sí a láithreacht leanúnach agus a shúile dorcha faireacha.

Bhí a aghaidh le feiceáil ina aigne mar a bhí i gcónaí nuair a smaoinigh sí air, dorcha dathúil, níos sine, i bhfad níos sine, a thaithí spreagúil agus imeaglach.

Mar chara teaghlaigh, bhí sé tar éis fás suas ag tabhairt an urraim a bhí tuillte aici agus ag déanamh mar a d'iarr sí.

a intinn anonn agus é ag machnamh air seo agus bhí sé ag smaoineamh arís faoi conas a d'éirigh an fear seo, a chara agus a mheantóir, ina Mháistir.

Bhí lón le hAnne an-shoiléir, ach thóg sé ró-fhada nuair a chuaigh Alan chun Anne a bhailiú, níor tháinig sí arís ar a deasc fós.

"Gheobhaidh sí a pionós agus beidh sé mar gheall ormsa." Shíl Susan.

Bhí an deis ann cheana féin nuair a tháinig na ceisteanna ginearálta, neamhphearsanta ar fad faoina stíl mhaireachtála, an club agus na daoine ar bhuail sé leo inné isteach ina intinn.

Ghlaoigh a fón agus nuair a chuala sí a glór ag freagairt dá beannacht, bhrúigh sí an fón beagán níos deacra.

Bhí "Mo Susy" ina ráiteas. "Conas a bhí lón?"

"Bhí an bia a d'ordaigh tú iontach, go raibh maith agat, agus go raibh maith agat as an bricfeasta freisin. Níor thuig mé cé chomh ocras a bhí mé ar maidin." Aoibh sí isteach ar an teileafón.

"Ar ndóigh, rinne mé cinnte go raibh bricfeasta agat. Bhuel mo cheann beag milis feicfidh mé i gcónaí dó go bhfaighidh tú an méid a theastaíonn uait agus a theastaíonn uait, tá a fhios agat sin. Dúirt mé leat go minic," bhí a ton brusque.

"Tá, máistir." Giotán sí a liopa.

"Ní raibh mo cheist maidir leis an mbia, conas a bhí lón le Anne?"

D'fhéadfadh sé a shamhlú di ag a deasc biting a liopaí mar a labhair sí, a aghaidh sách léiritheach ag taispeáint dó gach mothúcháin.

Roghnaigh sí macántacht :

"Is cara iontach í Anne timpeall na cuideachta, agus tá sí greannmhar agus te agus um, an-léirsteanach."

hastened sí a rá:

"Bhí am iontach againn ag caint, ach chailleamar rian ama, mar sin ní dóigh liom go raibh an tUasal Clarkson an-sásta."

Giotán sé a liopa.

"Sílim go mb'fhéidir go mbeadh Anne i dtrioblóid mar choinnigh mé suas í ró-fhada."

"Is cailín mór Áine agus is féidir léi breathnú ar an am chomh héasca céanna leatsa, a dhuine bhig, ná bí buartha faoi." Shos sé, agus d'fhéadfadh sí a chloisteáil beagnach aoibh gháire ina ghlór mar a lean sé, "An raibh sé enlightening?"

Ba mhian léi go bhfeicfeadh sí a aghaidh, ach ní fhéadfadh sí a rá an raibh náire air nó an raibh sé ag magadh fúithi.

D'éirigh sí amach agus í ag freagairt go cúramach:

"Bhí a lán ceisteanna agam tar éis inné agus tá aithne agam ar chailíní eile umm i mo chás umm."

Chuckled sé agus ina aigne d'fhéadfadh sí a fheiceáil cinnte a aoibh gháire anois mar teased sé di níos mó.

"Agus cén staid ina bhfuil mo sclábhaí beag?"

Bhí a staid intinne agus an fhíric nach raibh a súile dorcha ag dul i bhfeidhm uirthi, ní ba láidre ná mar a bhí sí an tseachtain ar fad.

"Sin é, tá a bheith i mo sclábhaí chomh nua sin nach bhfuil a fhios agam cad atá á dhéanamh agam gan trácht ar an bhfuil mé á dhéanamh i gceart. Níl a fhios agam conas a bhraitheann mé faoi." Sighed sí, "Is cosúil nach bhfuil a fhios agam aon rud níos mó, tá mo domhan bun os cionn."

Gasped sí nuair a thuig sí go ndúirt sí go díreach os ard leis an bhfear atá ag déanamh a radharc domhanda athrú go neamhbhuana.

Ag éisteacht lena gasp, d'fhreagair sé go mall:

"Susy", tá a guth géar ach bog agus níl sí cinnte arís agus é ag leanúint ar aghaidh: "Le gach rud nua bíonn nóiméad foghlama i gcónaí, oiliúint más fearr leat. Déan mar a iarraim, nuair a deirim leat agus i gcónaí leat Beidh sé foirfe. Ba mhian liom go bhféadfá labhairt le Anne agus tá áthas orm go bhfuair tú an nóiméad sin, "shos sé le haghaidh éifeacht agus lean sé "enlightening."

sé an focal sin, "sásta," agus lig sé amach anáil nár thuig sé go raibh sé a shealbhú.

Mhothaigh sí go raibh a boilg ag sileadh agus leathnaigh gliondar te anuas uirthi mar aoibh gháire ar a héadan ag brú a liopa níos ísle idir a cuid fiacla.

"Tá a Mháistir", an bhfuil gach a d'fhéadfadh sé a rá.

"Ceart go leor, beidh mé ar ais i gceann uair an chloig. Ó, agus soiléir do sceideal don oíche le do thoil, a cheann beag."

Leis sin chroch sé suas agus d'fhág sé ina suí di ag baint suilt as a pléisiúir.

D'ullmhaigh sé a chuid oibre a chríochnú trí bhreathnú ar an gclog agus na miontuairiscí a chomhaireamh go dtí go bhfillfeadh sé.

Phioc sé suas an fón agus ghlaoigh sé ar a mháthair.

"Dia duit mamaí... Tá sé ceart go leor, beidh mé gnóthach le cara anocht agus ní raibh mé ag iarraidh imní a chur ort arís."

Gheall sé go mbeadh sé in am an lá dár gcionn agus rinne sé iarracht nerves corraithe a mháthar a mhaolú.

Bhí a hathair sa bhaile agus labhair sí go hachomair leis ag dearbhú na socruithe ba ghá a dhéanamh ansin.

Bhí meangadh gáire uirthi nuair a labhair sé faoi amharclannaíocht a mháthar faoin gcóisir agus rinne sé gáire nuair a d'aontaigh an bheirt acu gur thaitin an dráma leis.

Crochadh sí suas miongháire.

"Níor dhearna sí bréag díreach, bheadh sí gnóthach le cara, ní dúirt sí cén cineál cara." D'iompaigh a hintinn de shíor ag sníomh arís, "Agus cén sórt cara é?"

Stán sí ar na focail cara agus múinteoir agus í ag críochnú an chuid dheireanach dá hobair bhaile agus rinne sí iarracht neamhaird a dhéanamh de na smaointe suaimhneach a bhaineann le bréagadh lena tuismitheoirí agus díriú níos fearr ar anocht.

Agus í ina seasamh agus í féin á smearadh, chuaigh sí go dtí an seomra folctha chun í a athnuachan agus chun breathnú ar an mbealach is fearr le teacht an Mháistir.

Bhí sí meáite ar a dícheall a dhéanamh mar a cheap sí a bheadh mar Mháistir agus mar sclábhaí aici aréir.

Ní bheadh siad ag caint faoin tseachtain go dtí an Luan, ach bhí sí ag dul abhaile amárach don deireadh seachtaine, mar sin anocht dhéanfadh sí a dícheall chun freastal air.

Ag siúl isteach sa seomra folctha fuair sé a chorp ar crith le súil.

Ag féachaint sa scáthán agus ag féachaint mar a bhí a súile geal agus súilíneach, chroith sí a ceann.

" Féach ort Susan! Ceithre lá de orgasms gan stad agus tá do shúile dearg agus geal ag smaoineamh mé ag teacht ar ais. Is tú i ndáiríre a slut" stop sí leath bealaigh ach lean "go fóill."

Doirteadh náire an eolais seo roinnt taise thar an teas idir a cosa.

ULLMHÚCHÁN

Crochadh Robert suas ar Susan.

Bhí an-riosca ar an lá inniu, ach bhí a fhios aige go raibh am ag teastáil uaithi chun machnamh a dhéanamh ar a raibh ar siúl acu agus a dtuairimí naive ar chaidrimh.

Bhí a sheachtain beagnach thart, agus bheadh deireadh leis inniu mura mbeadh an oiliúint imithe chomh maith.

Bhí a fhios aige go mbeadh sí submissive, ach bhí sháraigh sí go léir a ionchais.

Ghlac sé smacht ar a saol nuair, as náire agus náiriú, rinne sé a sclábhaí di an chéad lá sin.

Aoibh sé leis féin, a mhian a bheith i gceannas uirthi níos láidre ná riamh.

Tháinig dromchla iomlán ar a impidhiúlacht chun í a shealbhú .

B'éigean di glacadh lena háit ag a chosa.

Ní hamháin glacadh leis ach gan é a iarraidh, é a iarraidh, a admháil gur leis agus leis amháin é.

Ina smaointe chonaic sé í ar a glúin ag glaoch air Máistir, a seanfhantasy ag teacht ar an saol.

Bhí a fhios aige nach bhféadfadh sé agus ní ligfeadh sé dul anois.

Bhí tuilleadh eolais ag teastáil uaidh faoin lón 'illuminating' agus nuair a tharraing sé isteach i gcarrchlós an chomhlachta bheartaigh sé féachaint ar an bhfoinse.

Nóiméad ina dhiaidh sin, chuaigh sé isteach in oifig Alan Clarkson agus, ag miongháire ar Anne, d'fhógair sé:

"Ceart go leor, solas dom."

Cúig nóiméad déag ina dhiaidh sin d'éirigh sé chun imeacht nuair a dúirt Anne:

"Ó, agus nuair a thógann tú go dtí an club í, má thógann tú ann í, lig dom a bheith ann an chéad uair le do thoil. Beidh a súile a bug amach."

"I ndáiríre bhí mé ag dul a thabhairt di ann le haghaidh dinnéar go luath anocht." A dúirt Robert ag féachaint ar a n-aghaidheanna stunned.

Bhí cuma amhrasach ar Alan:

"Nach bhfuil sé ró-luath?"

"Ní bheidh againn ach dinnéar, agus ní sna seomraí cúil, níl sí réidh le haghaidh sin fós. Ní bastard iomlán mé."

D'fhéach sé ar an mbeirt acu arís, ag glacadh leis go raibh siad cairde agus iontaofa, mar sin lean sé:

"Agus ní féidir liom í a choinneáil faoi ghlas i m'oifig an t-am ar fad. Caithfidh a fhios a bheith aici cad atá á dhéanamh aici féin, agus is léir go bhfuil sí fiosrach."

"B'fhearr dúinn dul ansin freisin, beidh cuid de na daoine sin ag iarraidh í a ithe beo agus d'fhéadfadh Anne cabhrú léi."

Léirigh Alan imní, bhí sé ar dhuine den bheagán daoine a raibh aithne mhaith aige ar Robert agus a raibh tuairim aige cad a bhí i gceist ag an gcailín seo dó.

"Ceart go leor, beidh mé ag glaoch ort nuair a bheidh muid réidh le dul. Agus ní bheidh sé ach tamaill," aoibh gháire faoi bhláth ar a liopaí, "Ní fhaca mé í ar feadh an lae ..." D'fhág sí ar crochadh é sa aer.

Rinne Anne aoibh gháire agus rince ar bís:

"Aon uair a bhíonn tú réidh!"

Ag croitheadh a chinn agus é ag siúl uaidh, cheap sé nach bhféadfaí go leor smachta a chur ar Anne le bheith mar a cineál, ach bhí áthas air go raibh sí féin agus Alan tar éis teacht ar mheaitseáil fhoirfe lena gcuid pearsantachtaí spraíúla.

Gan a bheith ag iarraidh moill a thuilleadh, chuaigh Robert díreach chuig a oifig chun freastal ar a chluiche foirfe.

"Más rud é amháin go raibh a fhios aici," mused sé.

Ag miongháire agus é ag dul isteach, d'amharc sé uirthi ina suí suas níos dírí agus aoibh gháire ar ais air, rud a chuir ar a héadan deas lasadh suas.

Ní raibh sé in ann cur i gcoinne an chailín mhórálainn seo, phreab sé agus d'ardaigh sé óna cathaoir í agus é á phógadh go domhain.

"Chaill do Mháistir thú inniu, a sclábhaí bhig."

Purred sí isteach ina phóg, bhí chaill sí air níos mó ná mar a d'admhaigh sí di féin.

Bhí sé níos mó ná a láithreacht ominous amháin, thuig sí gur bhraith sí treasured agus luachmhar dó mar phóg sé í chomh domhain ag taispeáint cé mhéad a chaill sé í.

"Atreorú an teileafón chuig m'oifig agus lean mé." Dúirt sé agus é ag ligean di suí siar síos agus shiúil sé chuig a dheasc.

Mar a shuigh sé síos ag a dheasc, bhí an chuma uirthi ag an doras.

"Dún an". Muttered sé ag féachaint ar di somberly.

Chas sí agus dhún sí an doras go bog sula sleamhnaigh trasna an urláir i dtreo air, glúine in aice lena chathaoir.

Bhreathnaigh sé uirthi agus í ag amharc suas air, ionadh uirthi ag an cuma ocrach ina súile.

"Éirigh..." Bhí a ghuth ceannasach ach ní raibh sé dian.

Chomh galánta agus a d'fhéadfadh sí a bhainistiú, d'ardaigh sí ar a cosa, a corp ar crith faoina radharc dorcha.

"Tá tú go hálainn, Susy, ba mhaith liom tú go léir a fheiceáil. Bain amach do sciorta agus blús, agus déan é go mall."

Chlaon sé ar ais ina chathaoir agus d'amharc uirthi mar a d'ardaigh sí a lámha ar a blús agus thosaigh sé a unbutton sé.

Go mall, shrugged sí, ag ligean don seaicéad sleamhnú as a guaillí.

Nuair a d'eisigh sí an cnaipe deireanach ar an blús leath-láimhe, thit sé ar oscailt chun a cíoch a nochtadh agus í ag gabháil don zipper ar a sciorta.

Gan é a chnagadh, thug sí faoi deara bealach mealltach a raibh súil aici, ionas gur shleamhnaigh an sciorta síos a cosa agus chruinnigh sí ar a cosa.

Go mall ag tarraingt amach aisti, lig sé dá léine sleamhnú óna lámha go dtí linn snámha ar an urlár freisin.

Shuddered sí agus d'fhéach sé suas isteach ina súile dhó.

"Tá craiceann foirfe agat, níos áille ná éinne, a Shiobhán bhig. Is tusa an chanbhás foirfe domsa."

D'ardaigh sé ar a chosa agus bhog sé in aice léi, ag rith a mhéara thar a guaillí agus breasts go réidh.

Ag breathnú isteach ina súile agus é ag cnagadh ar a cófra chun na cloigíní a chloisteáil ag glaoch go binn.

Aoibh sí mar gasped sí agus rug a liopa níos ísle idir a fiacla.

A mhéara ar athraíodh a ionad caressing arís a corp agus thar a bolg.

"Cas timpeall," muttered sé.

Nuair a mhothaigh sí a mhéar ar a craiceann ar a druim, chuir sé crith uirthi.

Bhí na marcanna ón oíche roimhe imithe i léig.

Tá an cailín seo iontach, a cheap sé.

Rith a lámha suas agus síos a druim sular chupáil sí a bun beagán brúite agus é á fháscadh go dian, ag mealladh gean a d'ardaigh níos mó fós é.

Agus í ag tarraingt ina choinne, bogann a lámha chun a cíoch a ghlúáil agus a siní a chasadh go réidh.

Ar chaill tú do Mháistir inniu, a mhic?"

"Tá Máistir" a bhí ina ghlór moan briste.

Rith a lámh thar a corp agus í ag cromadh gan focal ag impí ar a theagmháil.

Lean sé air ag tabhairt aire dá corp lena ghuth bog te i gcoinne a cluaise agus é ag spochadh as í.

"Is sclábhaí beag atá uait."

Plunges a lámh idir a cosa agus d'oscail sí suas láithreach ina seasamh i dtreo dó.

"A sionnach beag, tá tú ró-fhliuch do'n Mháistir."

Thit a lámh ar ais agus chrom sí go crua uirthi, rud a chuir iontas uirthi seachas pian.

Pounding a pussy arís níos deacra mar a d'ardaigh sí go dtí a bharraicíní, a súile ag leathnú mar moaned sí.

Agus í ag tarraingt ar ais leis, d'ísligh sé é féin isteach sa chathaoir deisce agus í ar a mhuin.

Shín sé faoina pluide, leathnaigh sé ar oscailt iad agus chuir sé ar airm an chathaoir iad.

Ní raibh sí bhraith chomh hoscailte, mar sin nochta.

A lámh slammed isteach ina arís, slamming crua isteach ina cromáin, jerking faoi na slap, ag déanamh gáire air agus í ag squealed.

Chuaigh a choileach a bhí neadaithe i gcoinne a bun docht mar a bhuail sé í trí huaire eile sular tumadh a mhéara isteach inti.

Ag éisteacht léi ag caoineadh agus ag mothú a cromáin flex agus a matáin clenched go docht ina mhéara, grod sé i pléisiúir ina cluas.

Tlú a mhéara i gcoinne an bhalla tosaigh a cunt, thosaigh sé ag fuck di lena mhéara.

Bhí a cromáin ar athraíodh a ionad lena ghluaiseacht agus bhraith sé a corp ar crith.

Lean sé ag caoineadh ina cluas:

"Mar sin slutty agus chomh te agus fliuch. Tá pian ag casadh ort, is féidir le Máistir do phléisiúr a mhothú, agus tá Máistir ag teastáil uait chun an méid atá uait a thabhairt duit. Cad atá uait."

Chonaic sé í ag análú go raggedly agus a géaga ar crith.

Stop sé a mhéara go domhain laistigh di, nipping ar a muineál mar a cromáin gyrated ar feadh níos mó.

"Inis Máistir cad atá uait."

"Le do thoil," moaned sí. "Ó le do thoil."

Bhí a cromáin jerked, bhrú a pussy i gcoinne a láimhe.

Bhí a liopaí cuartha isteach i scáth aoibh gháire mar a d'iarr sí arís:
"Le do thoil é sin?"

A mhéara ar athraíodh a ionad beagán.

"Le do thoil, a Mháistir níos mó, níos mó." Bhí a guth breathless mar moaned sí a riachtanas. "Le do thoil."

Thosaigh sé a mhéara a phumpáil go dian agus go domhain.

"Níos mó de seo, soith beag?"

"Tá! Ó sea, a Mháistir le do thoil ."

" Tar chugam, a sclábhaí, tabhair dhom an méid a theastaíonn uaim, a bhfuil uait."

Nuair a thosaigh sí ag spasm, thóg sé a mhéara amach agus slapped a pussy, ag breathnú air squirt:

"Tá sé an-teann".

Groaned sé ag smaoineamh ar an oíche le teacht.

Sheas tart suas agus chuir sé ar a dheasc í mar gasped sí agus meowed lena súile leath dúnta.

Chlaon sé síos go dtí leibhéal a súl.

"Cailín maith" mhaol sé í agus é ag patted ar ais í agus d'oscail sé tarraiceán deisce. "Rinne mé faillí ar do chuid oiliúna inniu, nach mé an ceann beag?"

Thóg sé rud beag bándearg cairéad-chruthach as an tarraiceán agus é a chur os comhair a shúile gan fócas.

Fós croitheadh as a orgasm, tensed sí mar a bhraith sí air bogadh taobh thiar di a chur ar a coileach crua i gcoinne a cúil.

Ag claonadh anuas uirthi agus ag pógadh a droma, choinnigh sé an plocóid os comhair a súl arís sula ndeachaigh sé siar agus scuabadh a cosa uaidh.

Scaipeadh a cosa óna chéile agus caressing a bun le lámh amháin, leis an lámh eile plung sé an breiseán isteach ina pussy fliuch, lubricating é agus é a fhágáil greamaitheach mar a rith sé é idir a dhá pholl.

"Tá tú chomh álainn mar seo."

Bhuail sé a h-asal agus scar sé a leicne leathan ag faire go géar agus í ag brú go mall ar an bplocóid ag síneadh a hanas daingean.

"Is liomsa gach cuid díot, a Shiobhán."

Moaning, a pluide glistening fliuch, squirmed sí mar a labhair sé go bog.

"Cailín maith."

Agus í ag tarraingt ar a mhuin, thug sé barróg di.

Snuggled sí isteach ina airm agus a panting laghdú de réir a chéile.

Ag greim ar a smig agus ag claonadh a chinn chuige, phóg sé go bog í, a liopaí ag tlú isteach sa aoibh gháire beag sin ar theastaigh uaithi.

"Is maith liom go mór thú, a Shiobháin", a dúirt sé go bog agus sular fhreagair sí aoibh gháire lean sé síos chun í a phógadh arís. "Déanann tú áthas orm mar sin, níos sona ná mar a bhí mé le fada an lá."

Bhí a bolg clenched agus an gá domhain le do thoil an fear seo swelled agus faoi bhláth laistigh di ag a chuid focal.

Bhí a lámha níos doichte timpeall uirthi agus tharraing sé gar dá chorp í, ag cogarnaíl go te ina cluas.

"Anois is liomsa tú. An dtuigeann tú? Ar son an domhain go léir is liomsa tú."

Ní dúirt sí faic.

Bhí sí i gcruachás, ach chuir an mothú a fuair sí ó thaitneamh a bhaint aisti as gach rud eile.

Chlaon sé ar ais agus bhuail a súile, wondering má bhí rud éigin clouding aige.

Idir an dá linn, d'fhan sí ina tost, rud a chuir uirthi ciontach as a radharc a bhraith sí uirthi.

Rinne sé seo cogar di:

"Tá Máistir".

Shiúil sí isteach air, ag mothú go híorónta sábháilte ina lámha .

Bhí a aigne bunaithe ar phléisiúir agus ar phian agus é á chomhcheangal leis na mothúcháin a bhain le meas agus le húinéireacht go dtí an pointe go raibh sí ina húinéir uirthi.

"Conas is féidir leat a bheith ag mothú chomh maith sin uaireanta, agus fós an oiread sin náire a chur uirthi agus í a náiriú mar gheall ar chomh dona agus a rinne sí rudaí ag amanna eile?"

Bhí a fhios aici gur gá di labhairt leis, mar a labhair sí le Anne.

Ach níor theastaigh uaithi an nóiméad a mhilleadh, d'fhan sí ina tost, ag ligean dá hintinn dul timpeall ar an bhfíric go raibh ní hamháin ina fraochÚn ar thaitin a bheith spanked, ach go raibh sí a fraochÚn.

Soilsíonn an leid aoibh gháire a aghaidh agus crads sé arís í.

"Fanfaidh tú liom anocht le déanamh suas don lá a chaitheamar as a chéile."

"Tá, máistir."

"Theastaigh uaidh a dhéanamh suas le haghaidh an lá caillte!" cheap sí "Bhuel, ní raibh sé seo ach ar feadh seachtaine. Cad a tharlóidh nuair a bheidh an tseachtain thart? Beimid ag caint ag deireadh na seachtaine, ar ndóigh." Giotán sí a liopa, "ach an mbeidh sé ró-dhéanach na ceisteanna go léir a chur mar gheall ar na hamhrais atá ag crá dom?"

Chuir a neamhchinnteacht leanúnach as di arís.

"Téigh glan agus déan do chuid makeup a shocrú. Ba mhaith liom go ndéanfadh tú do chuid gruaige anocht agus muid ag imeacht."

Bhuail sé í ina dhiaidh agus í ag éirí suas agus ag faire uirthi ag siúl go dtí an seomra folctha, fós ina sála agus ina stocaí ag déanamh groan air go hinmheánach.

"Bhí orm í a ghlacadh anocht nó go bpléascfadh sí"

Chroith sé a cheann ar an smaoineamh seo.

D'fhéadfadh sé sclábhaí eile a úsáid inniu sula ndeachaigh sé ar ais go dtí an oifig chun an teannas a mhaolú, ach níor fhan a smaointe ach ar an gcailín amháin seo.

Tá brionglóid aige ina húinéir uirthi le fada an lá.

Ní raibh sé ag iarraidh aon duine eile anois go raibh sí anseo, ar a chosa, géilleadh dá gach ordú.

Sheas sé suas agus chuaigh sé go dtí an seomra leapa, ag oscailt an closet buíoch as na ceannacháin a rinne Diane dó, ach d'fhág ag iarraidh a thabhairt di siopadóireacht.

Bhí a fhios aige go cruinn conas a thaitin sé leis agus conas ba cheart a riachtanais mar a Mháistir a chomhlíonadh.

Rum sí tríd an closet ag lorg an rud ceart, ag tarraingt amach míreanna agus iad a chaitheamh i leataobh.

Ar deireadh, tharraing sí amach gúna glas emerald gearrtha ag an tosach agus ar ais a bheadh cloí leis na háiteanna cearta a thaispeáint as a corp fíorálainn agus aird a tharraingt ar a súile.

Bhí an chuma uirthi sa doras naked agus álainn, ag trasnú an urláir i dhá chéim éasca.

Rug sé ar a caol agus tharraing sé chuige.

"Tá tú go hálainn, mo Susy."

A cheann lúbtha go seilbh a liopaí arís.

"Fan go fóill le do lámha suas," d'ordaigh sí agus thóg an gúna, é a tharraingt thar a ceann agus síos a airm.

Cé gur fhan sí gan gluaiseacht, ghléas sé í i bhfabraic daingean ach gan a bheith míchompordach.

"Suigh síos," a dúirt sí go dtí an leaba mar a chuaigh sí ar ais go dtí an closet, agus nóiméad ina dhiaidh sin dhealraigh sí le péire nua de ard-heeled bróga, ag dul thar iad.

Thóg sé an choker veilbhit bán ón lá roimh agus chuir sé thart ar a muineál é agus é a chur ar a bróga.

Shuigh sí ansin agus rummaged sé trí bhosca beag.

Ansin chas sé chuici agus chuir sé ornáid óir ar an choker veilbhit.

Ag casadh ar an scáthán agus sé motioned di éirí aníos, fuair sí í féin beagnach do-aitheanta di féin.

Bhí sí go léir curves nach raibh a fhios agam go raibh sí.

Bhí taobhanna an ghúna gearrtha go hiomlán agus lásaithe ag strapaí a chros thar a cromáin agus a easnacha.

An neckline íseal chuma a bheith níos mó scoilteachta ná mar a bhí sé ag taispeáint mar a bhí brúite a breasts perky síos ag an ábhar daingean ar an gúna.

Bhí cuma aisteach agus saobhadh ar an slabhra a chaith sí fós, agus shroich sí isteach ina scoilteacht chun é a dhíriú agus é ag faire.

A shúile seasta ar an feathal óir ar an choker bán.

Ba dhá litir R iad nasctha le slabhraí óir a chuir mearbhall uirthi agus í ag leanúint uirthi ag iarraidh na cloig agus an slabhra a dheisiú gan mórán ratha.

"Tóg amach an slabhra." Mheas sé í agus lean sé, "B'fhéidir gur cheart dúinn labhairt faoi do chuid siní a tholladh."

Leathnaigh a súile agus chuir mearbhall ar a súile a súile agus í ag scaoileadh an slabhra go mall óna siní agus é a bhaint.

"Féachann tú daor beag álainn."

Bhog a lámh go dtí a bun ag stroking and fumbling faoina gúna chun an plocóid a aimsiú agus é a chasadh laistigh di ag déanamh a gasp.

Shleamhnaigh sé a lámh síos idir a cosa.

"I gcónaí chomh fliuch agus chomh toilteanach ag do Mháistir, is cailín an-mhaith tú."

Mar a bhí sé taobh thiar di stroking her, a análaithe quickened agus tharraing sí ar ais beagán, ag iarraidh é a bhraith ina choinne.

"Níl am againn le haghaidh," aoibh sé. "Tar éis."

Stop sé go mór ar feadh nóiméad gairid sula lean sé ar aghaidh:

"Tá tú slut beag insatiable, ach ansin geallaim duit, níos mó, i bhfad níos mó."

Chuir sí béim ar an bhfocal 'níos mó' agus í ag siúl amach agus rug sí gúna bán as an gclós.

Ansin chas sé léi.

"Tar".

D'fhág sé an seomra léi ag leanúint gar taobh thiar.

"Tabhair dom an fón," a dúirt sé agus í ag bogadh go dtí a deasc.

Bhí sí ar ais i nóiméad, léirigh sé go dtí láthair ar an urlár, agus shleamhnaigh sí anonn go dtí a ghlúine ann ag féachaint air.

Phioc sé suas glacadóir a ghutháin deisce.

"Réidh Anne, a fheiceann tú sa stocaireacht."

Grabbing cúpla míreanna as a drawer deasc, chas sé agus d'fhéach sé ar di.

Ábhar a chuid fantaisíochta ar a ghlúine go géilliúil os a chomhair .

Ag caint le Anne, i ndáiríre, bhí enlightening don bheirt acu.

Bhí sí ag éirí níos comhlíonta le gach nóiméad a chaith siad le chéile, agus bhí sé meáite ar gan an iomarca de na chuimhneacháin sin a chaitheamh óna chéile roimh dheireadh na seachtaine.

A coileach twitched mar a d'fhéach sé ar a.

"Ó sea, thógfadh anocht í chuig áiteanna nua agus ar go leor bealaí" Shíl sé.

AN CLUB

Tharraing eifeacht lasánta Anne gach duine isteach agus iad ag dul isteach i bhfoirgneamh ar stíl oidhreachta agus ag fanacht leis an ardaitheoir.

Bhí lámh chosanta ag a Máistir thart ar a guaillí agus tharraing sé gar di beagnach go seilbheach.

Níor inis aon duine do Susan cá raibh siad ag dul agus chroith sí í féin go comhfhiosach ag smaoineamh:

"Caithfidh go bhfuil bialann ag barr an fhoirgnimh seo."

Ag dul isteach san ardaitheoir, thóg Robert amach a chárta club agus chuir sé isteach i sliotán ar an bpainéal is mó, agus thosaigh an t-ardaitheoir a shíolraigh.

sí ar Susan ag dul in olcas agus í buartha agus í ag coinneáil a smig.

"Cad atá ar bun, a dhuine bhig?"

Bhí sé cainteach, dúirt an cárta a bhí fós ina láimh go soiléir: "An Club", agus crith sé le restlessness agus nervousness.

"Níor dúirt Anne liom go dtabharfadh sí anseo mé chomh luath sin, ach seo mise. Ní sclábhaí maith mé fós, cuirfidh mé náire air. Beidh díomá air ionam arís." Chuir a aigne an méid sin in iúl di agus d'fhéach sí síos agus í ar crith.

"Is dócha cóirithe tú di i cóirséad ró-daingean, Máistir Robert," a dúirt Anne. "Tógfaidh mé go dtí an seomra beag í le haghaidh na sclábhaithe agus déanfaidh mé í chomh maith le nua."

Susan suas agus chonaic sí imní i súile a Máistreachta agus rinne sí í féin a chruasú.

"Tá mé go maith, níl mé ag caitheamh cóirséad." Rinne sé cogar agus a shúile ag breathnú ar an gcárta i lámh a Mháistir agus na doirse ardaitheoir ag oscailt.

Chuir sé a lámh timpeall uirthi go cosantach agus thug isteach sa halla í.

Tháinig beirt chailíní ar aghaidh chun beannú dóibh agus a gcótaí a thógáil.

Beagnach gan é a thuiscint, lig Susan dá cóta a bhaint as nuair a chuala sí exclamation lag Anne:

"WOW, cinnte aon cóirséid ann."

D'fhéach Susan ar a Máistir, a bhí ag miongháire, agus a chuir lámh thart ar chúl muineál a sclábhaí.

"MO Susan," a dúirt sé go simplí agus a threorú ag an muineál thug sí isteach sa seomra club.

Ba é an galántas Victeoiriach dhonn dorcha a bhí ann ar nós na gclubanna uaisle a d'fheicfeá i gcláir faisnéise faoi uaisle na Breataine.

Osclaíodh doirse dúbailte leathana sna trí bhalla a bhí fágtha ar chodanna eile den chlub.

Chas Alan le Robert le gáire.

"Ba mhaith leat deoch a bheith agat anseo agus gach duine a thagann tríd an doras a dhéanamh aisteach nó rachaimid ag ithe ionas gur féidir leat Susan álainn a thabhairt abhaile go luath."

Rinne Susan iarracht breathnú timpeall uirthi gan an chuma a bhí uirthi go raibh an-iontas uirthi ag éirim na bhfeisteas óraithe, troscán adhmaid dorcha agus leathair snasta.

sé ar an cuma ar Anne a winked air agus thug dó aoibh gháire suaimhneach, mouthing an focal:

"Just a scíth a ligean".

"Nuair a bhí a fhios agat go bhfuil mé chomh soiléir?"

Robert gáire agus bhog sé trasna an tseomra go dtí an doras ar chlé.

An seomra seo chugainn chuma cavernous le decor cosúil leis an stocaireacht agus barra lounge.

Ag taobh amháin den seomra bhí barra agus pianó ar nóin ardaithe timpeallaithe ag táblaí beaga.

Tógadh an chuid eile den seomra suas le táblaí níos mó agus bothanna spásáilte óna chéile níos mó ná mar is gnách.

Agus iad ag dul ar aghaidh, chonaic sé cúpla tábla a bhí áitithe cheana féin.

Ag bord amháin shuigh na fir lena gcailíní ar a nglúine in aice leo mar a rinne siad inné ag am lón leis an Máistir, ach shuigh na cailíní ag cuid eile lena Máistrí.

Giotán Susan a liopa ag fiafraí cén áit a mbeifí ag súil léi ina suí.

Robert frowned, tilting a cheann agus go ciúin ag casadh ar Alan.

"Tá Brian anseo, imíonn tusa agus Anne seachrán air agus mé ag teacht ar bhoth dúinn."

Alan groaned rollta a shúile, ach Chlaon agus iompú chun ceann de na táblaí le Anne taobh thiar dó.

Thug Robert Susan níos faide isteach sa seomra chuig both.

"Suigh síos Susy", go bhfaca sí neamhchinnte ón gcaoi a d'fhéach sí air agus a aghaidh iomlán lán de mhearbhall, shoiléirigh sé. "Ní gá duit dul ar do ghlúine anseo anocht. D'iarr mé ort suí síos." D'ardaigh sé a mhala agus lean sé, " Insím duit cad ba mhaith liom agus nuair a theastaíonn uaim ó chailín bhig."

Rinne an gúna deacair sleamhnú isteach sa bhoth, ach shuigh sí síos go tapa ag iarraidh a bheith ar an sclábhaí a bhí uaidh san áit seo.

A liopaí cuartha isteach aoibh gháire.

"Cailín maith," murmur sé agus é ag sleamhnú isteach in aice léi. "Anois, sula dtagann na cinn eile, inis dom cad a tharla san ardaitheoir, d'fhéach tú an-pale."

Cén chaoi a bhféadfadh sé a rá léi gur shíl sé nach raibh sí maith go leor?

Go gcuirfeadh sé díomá air i gcomparáid leis na cailíní anseo.

Nach raibh sí réidh chuige seo.

D'amharc sé uirthi agus í ag béiceadh a liopa, ag féachaint ar an imní a bhí uirthi agus a súile ag scuabadh an tseomra agus ar ais chuige.

"Iontaoibh asam, a Shiobháin, ní ghortóidh sé thú. Seo cuid de mo shaol mar Cheannasaí, cuid a cheap mé go raibh tú fiosrach faoi. Ceart?" Chlaon sí agus í ag leanúint uirthi ag greim a liopaí.

"Tá an oiread sin áthais agat orm le cúpla lá anuas; rinne tú gach rud a d'iarr mé agus ghlac tú gach rud a thug mé duit. Is mise mo cheannsa agus ní raibh mé in ann a bheith níos sona faoi. Anois inis dom cad atá ann. mícheart, a Shiobhán?" Bhí ton daingean aige agus bhí freagra ag teastáil.

"Ba mhaith liom tú a shásamh, ach ..." adeir sí.

"Ach cad..." chrom sé air agus chroith sí faoina súil.

Ghlac sí anáil dhomhain agus scaoil sí cuid dá imní i torrent focal:

"Ní bheidh mé oiriúnach anseo. Beidh a fhios ag gach duine nach bhfuil mé sclábhaí fíor, feicfidh siad go bhfuil mé botúin a dhéanamh. Tá mé ag foghlaim ach gach rud a bhfuil súil agat i sclábhaí. Níor chóir dom a bheith anseo ."

D'fhuascail sí a imní nuair a thit sí ina tost arís, a súile eaglacha ag scanadh an tseomra.

Níor éirigh leis a aoibh gháire a cheilt mar a d'fhreagair sé:

"An dóigh leat go bhfuil cúram orm cad a cheapann siad anseo? Ba chóir go mbeadh an t-aon imní atá agat sásta liom, níor cheart duit cúram a dhéanamh faoi rud ar bith eile anseo." Ar sos sula ndearna sé a leicne go réidh, "Is maith liom go bhfuil tú anseo le mo thaobh agus go gcaitheann tú mo chomhartha ar do scornach. Ní dhéanfaidh tú díomá orm, táim cinnte."

sé an feathal óir ar a scornach agus í ag labhairt.

Thóg sí anáil domhain roimh cogar.

"Tá Máistir".

"Breathnaíonn sé go maith ort, a Shiobhán," bhain sí a méar os cionn an suaitheantais. "Níor chaith cailín ar bith é seo. Ba mhaith liom tú a bheith liomsa agus é seo a chaitheamh chun a thaispeáint do gach duine ar leo tú."

"Tá, máistir." Bhí sé go léir a d'fhéadfadh sí a rá.

D'fhan a súile air ag iarraidh an seomra a bhaint as a súil.

Dá bhféadfainn ligean air féin nach raibh ann ach iad, bheadh gach rud go breá.

"A chailín mhaith, is cóir duit do imní a chur in iúl dom i gcónaí. Is tú mo stór luachmhar. Ní ligfidh mé d' aon rud díobháil duit mura bhfuil sé beartaithe agam mar sin a dhéanamh."

Aoibh sé uirthi mar nuzzled sé a muineál.

"Ná eagla mo Susy."

Lean sé síos chun póg a liopaí, thit sé a lámh a squeeze a ceathar go dtí go moaned sí.

Murmur sé go bog:

"Tá tú liom agus mbaineann tú anseo liom."

Tháinig Anne agus Alan, ag magadh an aeir agus iad ag magadh go suairc faoin bhfear a raibh siad díreach tar éis labhairt leis agus a bhfiosracht faoin gcailín a raibh Robert léi.

Agus iad ag gáire, chlaon Anne in aice le Susan agus dúirt go bog:

"Go hionraic ní raibh aon smaoineamh agam go dtabharfadh sé anseo tú chomh luath sin, a mhil."

Tháinig an fhreastalaí agus aoibh gháire suarach uirthi agus í ag beannú na bhfear agus ag súil le Susan faoi shúil.

Is é an cás mar a bhí sé ag teacht chun cinn an gnáth rud a tharlódh dá rachfaidís amach chuig dinnéar ag bialann ar bith eile ionas gur lig Susan isteach ar chomhrá ócáideach.

Bhí an bia den scoth agus, ina suí in aice le Robert, squirmed sí i gcónaí ar an eolas faoi an breiseán ina masa agus taitneamh a bhaint as a caresses leanúnach.

Gach uair a bhrúigh sé a pluide, mharcaigh a gúna níos airde suas a cos, ag nochtadh í, ag sruthlú agus ag sileadh níos mó agus an teas ag sreabhadh trína corp.

D'fhéach sí suas air, suíomh lag na bialainne ag déanamh air breathnú níos óige ná mar a bhí a fhios aici go raibh sé.

a guaillí leathana beagán níos ísle ná mar a chuimhnigh sí ón oíche roimhe.

squirmed sí roinnt níos mó, shudder ag dul trí di.

Bhí sí ag smaoineamh ar cad a d'fhéadfadh sé a dhéanamh léi anocht le súil beagnach fonn.

"Mo Dhia, cad atá ag tarlú dom," a cheapann sí agus í ag mothú a púitsí fliuch spasm mar a shamhlú sí briseadh a climax leis an fear seo i gcás eile.

FraochÚn, a dúirt sí léi féin.

Robert chlaon i dtreo di.

"Cad é atá tú ag smaoineamh a chailín bhig? Cén fáth a bhfuil tú chomh ciúin?"

D'fhág sé seo go raibh a blush go domhain, gan a bheith in ann labhairt, d'fhéach sí air le súile leathan roimh féachaint ar na cinn eile trasna an tábla agus blinking.

Tháinig Anne chun tarrthála arís agus í ag leathnú a súile le huafás feigned...

"A Mháistir Robert, bhain tú amach do cloigíní síniú!"

Bhí an chuma ar an bhfreastalaí ag an nóiméad sin iarsmaí a gcuid bia a ghlanadh ón mbord agus Robert fondled a cíoch agus shrugged.

"Féachann a cíocha perky foirfe mar atá siad sa gúna seo."

"Mol mé do Susan, an lá a chuir tú na cloig ort, iad a tholladh," aoibh Alan. "Thaispeáin mé fiú Anne dó."

"An ndéanfá é?" D'iarr Robert sounding suim acu.

Agus í ag sruthlú, d'fhéach Susan suas chun bualadh le súile an fhreastalaí agus d'éirigh sí míchompordach nuair a dhiúltaigh na fir tuilleadh seirbhíse.

"A Mháistir," a dúirt Susan triaileach, "Umm, an mbeadh sé ceart go leor," d'fhéach sí ar Anne ag cuimhneamh ar a focail san ardaitheoir, "an féidir liom dul go dtí an seomra sclábhaithe beag le do thoil?"

"Is féidir le Anne tú a thabhairt isteach beagán, anois rachaimid go dtí barra an phianó. Is féidir liom Steve agus John a fheiceáil ann agus ba mhaith liom teacht suas leo." D'fhéach sé isteach ina súile, "Ní theastaíonn uaim go rachfá ann i d'aonar, a Shiobhán, nó áit ar bith sa chlub seo. Ná ní thuigeann tú?"

"Tá, máistir."

An imní maidir leis an áit a raibh siad ar ais chuig a shúile mar a d'éirigh sé arís.

A amhras féin faoin díomá a bhí air.

Ar ndóigh, níl sé ag iarraidh uirthi aon rud a dhéanamh a chuirfeadh náire air ag a chlub.

D'fhág siad an cábáin.

Súiligh Susan a gúna chomh tapa agus ab fhearr a d'fhéadfadh sí a pluide mar bhraith sí go raibh lámh a Máistreachta timpeall uirthi arís agus í á threorú tríd an mbialann.

Bhí i bhfad níos mó daoine ann anois, an chuid is mó ag scairteadh ar Alan agus Robert agus iad ag dul ar aghaidh.

Bhí an chuma ar roinnt daoine go raibh cuireadh acu chuig na boird, ach rinne Robert slán a fhágáil ag gach duine agus é ag siúl trasna an tseomra, ag tabhairt Susan i dtreo limistéar barra an phianó.

Thóg Anne a lámh ina nod do Robert agus threoraigh Susan trí dhoras taobh thiar den bheár áit a raibh na soilse ag taitneamh i gcodarsnacht lom leis an solas comhthimpeallach a bhí díreach fágtha acu.

Rith Susan beagnach go dtí an cubicle agus í ar tí pléasctha

Ní raibh glais ar bith ag an gceann seo ar an doras, ach ní raibh aon aird aici, ag osna faoisimh agus í ina suí.

Dúirt Anne leis:

"Ní raibh mé ag bréagadh leat ag am lóin nuair a dúirt mé leat nach mbeadh ort a bheith buartha faoin gclub i bhfad. Bhí ionadh orm nuair a dúirt sé go dtabharfadh sé anseo thú."

Labhair Susan go ciúin,

"Tá áthas orm go bhfuil tú anseo anocht, Anne."

u0026quot;Ó, ná buíochas a ghabháil liom, mil. Bhí sé a bhuíochas sin do mo Mháistir Alan. D'áitigh sé dúinn teacht anonn nuair a fuair sé amach.

Rinne sí aoibh agus Susan ag teacht amach as an gciúbán.

"Tá go leor blasanna d'uachtar reoite sa saol seo nach bhfuil ann ach an fanaile a bhíonn againn de ghnáth agus nach mbíonn blas an-mhaith ar chuid acu. San áit seo fan leis na daoine a bhfuil aithne agat orthu agus a bhfuil muinín agat astu. féin."

"Ní hea, an tusa freisin?" Chuir Susan isteach, "An bhfuil mé chomh dona sin as bheith i mo sclábhaí go bhfuil imní oraibh go léir faoi náire a chur orthu?" Chas sí go dtí an scáthán ag breathnú puzzled agus buartha.

"Ó mil! Níl. Níl ar chor ar bith. Tá sé chun tú a choinneáil sábháilte, mil. Tá tú nua agus suimiúil do na daoine anseo agus cé go bhfuil sé seo," dúirt sí leis an choker ribín timpeall a muineál, "tá sé an-deas agus ba chóir a choinneáil. slán agat, níl ann ach muince agus do cheannasaithe áirithe nach bhfuil chomh scrupallach céanna a d'fhéadfadh dúshlán a litriú."

Sighed Susan.

"Ní thuigim seo go léir agus conas is féidir liom? Ní sclábhaí fíor mé."

"Ó mil," barróg Anne di daingean. "Tá tú níos réadúla ná go leor de na agróirí anseo sa chlub. Ba mhaith leat a shásamh agus creidim dom go bhfuil Robert an-sásta. Is breá leis tú, is léir d'aon duine a bhfuil aithne aige air."

Thit béal Susan ar oscailt agus leathnaigh a súile.

"An bhfuil mé? An bhfuil?"

Bhí a fhios aici go raibh sé ag iarraidh í, dúirt sé go minic go leor é, ach bhí sé ráite ag Anne chomh láidir sin go ngiocadh sí a liopaí agus a hintinn ag rith arís.

"Sweet Susan, tá an oiread sin le fiosrú agus le feiceáil sa saol nua seo duit nach mbeidh a fhios agat é i gceann seachtaine. Níor lig Robert d'aon duine a bheith gar go leor dó chun a shuaitheantas a chaitheamh roimhe seo . cailín speisialta, ach Mura dtuigim go tapa é ionas go mbeidh tú in ann dul amach arís go luath, tiocfaidh sé anseo agus rachaidh sé amach é féin."

Bhí gile agus aoibh ar Susan agus chas sí chuig an scáthán ar mhian léi a bheith ag smaoineamh ar lipstick a thabhairt léi, ach cén áit a mbeadh sí i bhfolach sa gúna seo?

An smaoinimh a rinne sí gáire, agus Anne ardaigh eyebrow.

Rinne Susan gáire níos deacra agus chas sí timpeall.

"Cá gcaitheann sclábhaí a lipstick?"

Gáire Diane go sona sásta agus le chéile shiúil siad amach as an seomra a fháil Robert agus Alan ina seasamh le grúpa fear.

Las a shúile suas agus bhog sé i dtreo di go diongbháilte, ag cur a lámh chosanta thart ar chúl a muineál agus ag filleadh ar an gcomhrá.

D'fhéach na fir uirthi go ceadmhach, agus d'ísligh sí a radharc go dtí gur chuala sí duine acu ag seoladh chuici.

Ag breathnú suas, ní raibh sí in ann a insint cé acu Steve nó John Goodman a bhí ann, cóipeanna carbóin, agus mar sin bhí eagla uirthi go ndéanfadh sí botún nuair a rinne Anne lunged tar éis di a rá,

"Dia duit Máistir Steve."

Le faoiseamh, lean Susan a oireann láithreach.

"Dea-tráthnóna, Máistir Steve."

Rinne Steve gáire ar Alan.

"Rinne do chailín mo spraoi ar fad a mhilleadh. Tá súil agam go míneoidh tú na pointí is fearr a bhaineann le cur isteach ar Mháistir níos déanaí."

Alan ag gáire .

"Bhuel, caithfidh mé dul agus an cailín beag seo a thabhairt abhaile sula mbíonn sí i dtrioblóid don spraoi seo ar fad." A dúirt Robert. " Slán a fhágáil Susan."

"Dea-tráthnóna, a dhaoine uaisle," d'fhéach sé ar deireadh leis an ngrúpa fear a bailíodh ann.

"Beidh muid ag imeacht freisin" a d'fhreagair Alan, "Pleananna deireadh seachtaine agus sin go léir."

Le chéile shiúil siad ar ais tríd an halla a fháil ar a cótaí agus fanacht ar an ardaitheoir.

Dúirt Susan go bog:

"Go raibh maith agat, Anne."

Anne aoibh gháire go mischievous agus chlaon Alan isteach i gcluas Susan chun cogar os ard:

"Bheadh tú i dtrioblóid níos mó más rud é nach raibh mé cabhrú leat."

Chuck sé agus d'fhéach sí suas a fheiceáil aoibh gháire ar a n-aghaidh go léir.

"Bíonn an cúpla i gcónaí ag iarraidh a bheith ag turas suas cailíní nua gan amhras leis an gcineál sin spraoi. Ach beidh tú ag foghlaim conas a insint duit féin."

Winked sé uirthi agus iad ag dul isteach ar an ardaitheoir.

AN SEOMRA CLUB

Bhí ionadh air nuair a tháinig Alan agus Anne amach nuair a shroich siad urlár na talún, ach d'fhan siad istigh ag taisteal suas go dtí an tríú hurlár.

Mar a d'fhág siad, spléach sí aisteach síos an halla, ag leanúint Robert mar a bhog sé i dtreo doras mór snasta, adhmaid dorcha.

Ag baint úsáide as an gcárta céanna a bhí aige san ardaitheoir, chuir sé isteach é in aice leis na doirse, ag baint le cúpla eochair.

Osclaíodh an doras agus chuaigh sé isteach, ag tógáil a láimhe agus ag tarraingt leis isteach sa dorchadas thall.

Ag casadh timpeall uirthi go tapaigh, bhrúigh sé i gcoinne an bhalla in aice leis an doras í, a lámh fillte go docht timpeall a scornach gan brú.

Gasped sí, a súile blinking sa dorchadas mar a bhí sé fós í.

Mhothaigh sí é ag teacht níos gaire di agus é ag gabháil lena chorp agus chlaon sí a ceann suas féachaint an raibh fearg air léi.

Tháinig a béal síos uirthi, í ag pógadh go domhain, ag tógáil anála uaithi go paiseanta.

"Mar sin, álainn," chrooned sé.

Phóg sé arís í, a lámha ag baint a cóta go saineolach sular thaistil sé chuig a cíoch.

Fuair a mhéara na nubs íogair tríd an fabraic, nipping agus bhraith sí gasp isteach ina phóg.

twisted sé iad.

D'fhreagair sí é le ceol plaintive ina cluasa.

Thaistil a lámha suas a taobhanna agus timpeall a bun, ag tarraingt ina choinne níos déine, ag brú i gcoinne a bolg í agus é ag cromadh go crua uirthi.

Ag fás isteach ina béal, phioc sé suas í agus bhog sé go tapa isteach sa seomra dorcha, casadh timpeall uirthi ina arm.

Chuir sé ar chúl cathaoir lounge í, a bun aníos agus a ceann ar mhaolú.

groaned sí agus writheed a faigh ar ais a cothromaíocht.

Bhí a lámha quieuit in aice lena cheann mar a lámha trailed síos a pluide, ardú a gúna thar a bun a ligean ar crochadh os a chomhair.

A lámh slammed isteach ina bun go tobann ag déanamh a caoineadh sa dorchadas.

Ag coinneáil a cromáin chun í a choinneáil seasta le lámh amháin, thaistil an lámh eile síos scoilt a bun, ag brú síos ar an bplocóid a chaith sí fós sular bhog sí chuig a cunt.

"Fliuch mar sin , an sionnach beag, 's gá tadhaill do Mháistir."

Chuala sé í a ghlacadh anáil dhomhain mar a mhéara teased di ag go héadrom chuimil thar a clit ata.

Bhí a cromáin ag rolladh ar a lámh agus é ag tarraingt siar chun í a slam ón mbun aníos arís.

Ag bogadh ina h-aghaidh, bhí a choileach crua ina luí in iomaire a bun agus a lámha ag rith fad a colainne ag brú an fheisteas níos faide suas a corp go dtí gur chrom sé thart ar a guaillí, ag coinneáil a lámha in áit ar thaobh a chinn.

Ag tarraingt a lámha thar a easnacha, d'fhéadfadh sé a bhraitheann squirming ina choinne mar brúite sé a coileach crua i gcoinne a bun.

Bhí an gá atá aige léi chomh láidir.

Ag tacú le beagán, pounded sé a asal arís, is cúis le squeal idir a moans gasping.

Scar sé a mhéara óna leicne ag lorg an stopalláin arís.

Ina aigne d'fhéadfadh sí a fheiceáil ar a poll tightest síneadh agus resist.

De réir mar a scaoil sé an plocóid go mall, chuir sé a mhéar níos lú ina áit ar feadh nóiméad ach go mbraitheann na matáin greim agus níos doichte tar éis a bheith ar oscailt chomh fada.

Chuir dorchadas an tseomra clúdach uirthi, ag méadú a céadfaí eile agus é ag déanamh imní, ag cuimilt, agus ag brú a corp níos teo.

an blush ag teas suas a aghaidh gan a bheith le feiceáil aige mar a bhain sé an breiseán as a cnap.

Bhí a mhéara ina gcónaí ansin ar feadh cúpla nóiméad sular tharraing sé siar chun bualadh léi arís.

Ó, a Dhia, a shíl sí, conas is féidir leis an duine seo a chur ar mo chorp canadh le sásamh den phian a chuireann sé orm?

Rollaíonn a cromáin ar feadh níos mó mar a thiteann a mionbhrístíní isteach ar an gcathaoir agus ar a trócaire.

Ní raibh sé in ann é féin a choinneáil níos faide, ba mhó an gá atá aige le fiabhras dá mhachnamh uirthi an lá ar fad.

Thóg sé céim siar, ag scaoileadh a chrios agus ag ligean dó dul faoi na lúba agus é á scaoileadh amach agus dhún sé a lámh eile chun an t-asal foirfe upturned de réad a mhian a bhualadh.

Idir blows, tharraing sé síos a pants agus fo-éadaí, iad a bhrú ar leataobh lena bhróga.

Screeched sí go blasta, a corp ar crith le teas is gá le gach stróc.

Mheas sé go mb'fhéidir go mbeadh an crios a bhí buailte óna pants úsáideach, ach chuir an úsáid gharbh a bhain sé as an oíche roimhe sin stop leis.

Thóg sé céim ar aghaidh ag brú ina coinne arís agus é ag baint a cheangal agus a léine.

Gasped sí, a súile leathan sa dorchadas nuair a mhothaigh sí é.

Bhí a intinn raced le híomhánna den coileach a bhí aici ina béal agus scornach.

Mhothaigh sé ollmhór agus crua agus chomh te i gcoinne an chraiceann a bhí ar a bun cheana féin a bhí ag ruaigeadh.

Bhí a cromáin rollta, fuair sí í féin ag admháil go raibh sí ag iarraidh é seo, a staid aroused ag déanamh go raibh sí ag teastáil.

Bhí sí i gcónaí ag smaoineamh air, ag smaoineamh ar cad a bhraithfeadh sé a bheith faoi rialú agus fucked ag a Máistir.

Chomh luath agus naked, tharraing sé ar shiúl ó di.

Moaned sí i díomá agus a cromáin iompú ina dtreo.

Aoibh sé uirthi, smacking di taobh thiar crua.

"Gá mar sin mo soithín beag. Inis dom cad ba mhaith leat, cad atá uait."

Bhog sé go dtí a ceann agus shroich sé síos a bhaint as a gúna beagnach sracadh sé thar a ceann agus airm, ardaithe a smig ionas gur iompaigh a aghaidh chuig a.

"Iarr ar do Mháistir cad atá uait."

Mhothaigh sí a héadan ag sileadh deich ndath dearg níos doimhne agus í ag breathnú isteach sa dorchadas, ag déanamh amach a scáthchruth buíoch nach bhféadfadh sí dath a héadan a fheiceáil agus í ag luascadh go crua.

Rinne an dorchadas níos cróga í ná mar a d'fhéadfadh sí a aghaidh a fheiceáil, agus mar sin dúirt sí:

"Ba mhaith liom a bhraitheann tú taobh istigh de dom".

"Anseo?"

Cheistigh sé caressing a liopaí agus slipping méar isteach ina béal panting.

Chroith sí agus Chlaon sí a ceann ag an am céanna, ag déanamh an chuma air go raibh sí ag dul timpeall i gciorcal beag.

"Le focail soiléir, fraochÚn, inis dom cad is gá duit."

Bhí a hintinn róthéite ag dul i dtreo a toil agus é ag glaoch uirthi ina fraochÚn agus lig sí di éirí as a bheith ag teastáil uaidh, ag gol.

"Le do thoil, a Mháistir." Shlog sí arís, "Fuck me, le do thoil. Ba mhaith liom tú a bhraitheann," thit a guth le cogar, "taobh istigh dom."

"Conas a d'fhéadfadh Máistir diúltú do sclábhaí a impigh chomh binn?"

Ag coinneáil a ceann suas níos faide, chlaon sé isteach agus phóg í go domhain mar a lámha brúite i gcoinne an mhaolú thíos, a shealbhú ina aghaidh.

"Cad cailín maith," a chrooned sé.

straightened sé suas, a aghaidh gar dá groin sa phost seo agus Chuimil sé a coileach thar a liopa, mothú di lick traileach.

Moaned sé agus chothaithe a coileach isteach ina béal toilteanach, ligean di blas é.

Rolladh sí agus flick sí a teanga, ag baint suilt as an blas a bhí air agus a méar ag snáithiú trína cuid gruaige, á smearadh as na bioráin a bhí ina áit ar feadh na hoíche agus á timfhilleadh thart ar a dhorn.

Thionóil sé a ceann nuair ba ghá dó a choileach a bhogadh isteach agus amach as a béal sucking, ag déanamh a gobán mar a bhog sé níos doimhne.

A mhian á thiomáint aige, chrom sé go bog:

" Is liomsa thú, mo fraochÚn, mo sclábhaí, mo Shiús, mo cheannsa". Ag dul níos doimhne isteach i ngach abairt, bhrúigh sé isteach í, ag fáil blas ar fhuaimeanna agus ar mhothúchán di.

Tharraing sé amach as a béal go tobann, snáitheanna fada seile ag crochadh neamhfheicthe eatarthu agus ag titim ar mhaolú na cathaoireach agus iad araon ag gascadh go ragged.

Saor sé a lámha óna gruaig agus bhog sé ar ais taobh thiar di, smacking a asal crith.

Threoraigh sé a coileach i dtreo di go mall ag baint taitnimh as an teannas a pussy fliuch mar a chlaon sé í thar an chathaoir.

Bhí a ceann ísliú ar ais go dtí an mhaolú mar a bhrúigh sé an orlach deiridh a coileach taobh istigh di.

Shroich sé ar aghaidh, ag breith ar a cuid gruaige i ponytail scaoilte chun í a ardú ar ais agus ina choinne.

Moaned sí agus gasped mar a tháinig sé.

" Tá a Dick ró-mhór, ró-mhór."

Bhí a aigne wracked léi mar a mhothaigh sí é scaipthe laistigh di le meascán de pléisiúir aching cúrsáil trí di mar a líonadh sé í níos mó agus níos mó.

D'fhéadfainn é a mhothú chomh domhain istigh.

Chreach sé, a cheann ag ísliú go dtí an liathróid ach a bheith jerk suas ag a cuid gruaige mar a iachall sé a choileach ar fad go domhain isteach ina corp.

Chuir an tug géar ar a cuid gruaige mothúcháin mheasctha mar a fuair sí í féin agus a pussy líonta go hiomlán ag an nóiméad céanna.

A corp ag baint taitnimh as tonnta na ceint fíorálainn a chuaigh tríd síos di.

Mhothaigh sé a cromáin ag bogadh, agus fios aige go raibh sí réidh, d'fhuascail sé ar ais isteach inti arís go mall.

Bhí teannas ar a corp agus í ag dul i dtaithí ar a mhéid, ag bogadh isteach agus amach go mall, a caoineadh ag canadh dó .

Faoi dheireadh thug sé bealach dá riachtanas agus dá lust.

Thosaigh sé ag fuck di go crua ag baint úsáide as a cuid gruaige chun í a tharraingt i dtreo dó agus é ag puntáil a corp beag.

Rug a lámh saor in aisce ar a cromán.

Chladhaigh a méara go domhain isteach ina feoil, a caoineadh ag caoineadh riachtanas agus pléisiúir.

Chroith sé a cheann ar ais, roared sé:

"Tar, soith, tar chun do mháistir. Tabhair dom cad ba mhaith liom."

Thaistil an roar trína corp, na focail ordú mar droimneach sí ar ais, a corp rocked ag tonnta na scaoilte screadaíl cheana féin mar a bhuail orgasm uirthi.

D'fhéadfadh sí spasm a mhothú tar éis spasm de réir mar a bhí a púitsí ag dul timpeall ar a seafta adhlactha go domhain ina corp, ag bualadh lena scaoileadh féin.

Nuair a scaoil sé a cuid gruaige, thit sé isteach ar a análú chomh ragged is a bhí sí, muttering agus an fhuil pumped crua ina chluasa.

"Mine."

Nóiméad ina dhiaidh sin, bhog sé a corp.

Ag tarraingt ar a cófra, thit sé ar an urlár a bhfuil í ina lap, a coileach curtha fós taobh istigh di.

Chlaon sí a ceann i gcoinne a cófra agus chuala a chroí buille go tapa agus beagnach purr mar caressed sé a corp fós crith.

Bhreathnaigh sí air go hiontas agus dúirt sí:

"Go raibh maith agat, a mhúinteoir".

Fiú sa dorchadas, chonaic sé a súile ag gáire air agus é ag claonadh isteach agus phóg go domhain í.

CEISTEANNA AGUS FREAGRAÍ

Bhí Susan síneadh, ag rolladh ar an leaba mhór.

Bhí sé tar éis í a dhúiseacht agus í ag glacadh cith.

Bhí sé go luath, ach fós bhí uirthi filleadh ar a árasán agus a phacáil roimh an tiomáint fada go dtí a baile dúchais agus cóisir chomóradh a tuismitheoirí.

Oíche traochta a bhí ann, ba chosúil go raibh fuinneamh gan teorainn ag a Mháistir.

Cé gur lig sé di a scíth a ligean, bhí sé de shíor ag dúiseacht í arís chun a hintinn agus a corp a bheochan le meascán uathúil de phléisiúir agus de phian a chuir sé faoi di.

Chaill sí comhaireamh ar líon na n-orgasmais a bhain a corp amach sula raibh sí ídithe ar deireadh agus lig sé di codladh.

Bhí pian ar gach matán agus é ag síneadh air ag éisteacht le fuaim an chith sa seomra eile.

Ní raibh sé in ann é féin a choinneáil a thuilleadh, d'éirigh sé as a leaba chun an dara seomra folctha a fháil chun an t-áiteamh fuail a mhaolú.

Ag siúl go bog isteach sa seomra suí, d'fhéach sé thart agus thug sé faoi deara na cathaoireacha móra, ceann acu a bhí áit a chlaon sé agus a ghlac sé ar láimh don chéad uair an oíche roimh ré.

D'fhéach sé ar an smionagar a bhí scaipthe ar an urlár, a chuid éadaí, rópaí d'fhaid éagsúla, agus an iliomad bréagán agus déantúsáin a bhraith sé seachas iad a fheiceáil le linn na hoíche fhada.

Thóg sé a léine den urlár agus é a chur air, ag teacht ar an chistin agus dhá closets mhóra roimh lonnú ar deireadh seomra folctha eile i halla beag as an seomra is mó.

Bhreathnaigh sí uirthi féin sa scáthán agus í ag ní a lámha agus a héadan, ag déanamh iontais faoin gclaochlú a tharla di i gceann seachtaine.

Bhí línte laga marcáilte ar a cíoch agus a pluide, agus bhí sí cinnte go raibh a taobh thiar de líonra de línte tras-patched, cé nach bhféadfadh sí casadh go leor chun a fheiceáil méid iomlán na marcanna a d'fhág a Máistir uirthi.

Rith sí a méar trína cuid gruaige, rinne sí iarracht na gcuacha mí-rianta a cheannsú trí iad a cheangal i snaidhm taobh thiar dá ceann.

Ag fágáil an seomra folctha, d'fhill sé ar an seomra is mó.

Ní raibh a fhios aici cad a bhíothas ag súil uaithi anseo san áit seo.

Bhí a rialacha máistreachta go léir dírithe ar an oifig agus ar an obair, agus mar sin thosaigh sí ag bailiú a cuid rudaí a caitheadh amach as an oíche roimh ré.

Nuair a thuig sí nach raibh a fhios aici cá raibh gach rud eile, chairn sí an chuid eile go néata ar an mbord.

Ag teacht ar a fón, chas sí air é agus sheiceáil sí a teachtaireachtaí agus í ag déanamh a bealach go dtí an chistin.

Cistin atá feistithe go han-mhaith.

Ag oscailt an chuisneora, fuair sé ionadh go raibh sé go maith stocáilte agus sip ar roinnt sú, dhún sé an doras.

Shroich Susan le haghaidh gloine agus í ag éisteacht le teachtaireacht óna máthair ina modh banríona drámaíochta.

Thosaigh a mearbhall agus a hamhras ar fad ag teacht ar ais ina hintinn de réir mar a tháinig deireadh leis an teachtaireacht agus roghnaigh sí an chéad cheann eile.

Ba í a máthair arís í, fós drámatúil ach gan teorainn níos sona, mar a labhair sí faoi chuideachta lónadóireachta ag teacht ar a sé ar maidin chun roinnt pubaill agus soilsiú a shocrú.

Ghlac Susan spíonadh dá sú nuair a thuig sí go mbeadh uirthi aghaidh a thabhairt ar a tuismitheoirí inniu leis an bhfear ar a dtug sí Máistir anois.

D'fhiafraigh sé an n-íosfadh an chiontacht agus an náire air arís dá bhfeicfeadh sé a bhean ann.

Bhí a fhios ag Susan nach raibh siad ina gcónaí le chéile mar lánúin phósta, ach bhí siad fós pósta.

"Cén chaoi ar chríochnaigh mé mar seo, i saol rúnda seo an adhaltranais agus na sclábhaíochta." dúirt sí léi féin.

"Is cailín cliste mé, tá céim coláiste agam, agus níor shíl mé go raibh mé naive, bhuel, ní go dtí an tseachtain seo." Chuaigh a intinn siar go dtí an tseachtain agus gach rud a tharla.

Tháinig radharcanna na hoíche roimhe sin, an club, agus an úsáid chrua a bhain sé as tar éis dó a bheith ann, in áit a imní faoi láthair.

Idir an dá linn, líon na cuimhní cinn a corp le teas agus dúil agus líon ceisteanna éagsúla a aigne anois.

"An mbeadh sé ar fad thart tar éis na seachtaine? An é sin an rud a bhí uaithi? An é sin a bhí uaidh?"

Shuigh sí ag an gcuntar ag sileadh a sú agus bhog sí ar aghaidh go dtí an chéad teachtaireacht eile ar an bhfón.

Leathnaigh a shúile le fuaim ghuth Harry.

Is ar éigean a smaoinigh sí air an tseachtain seo agus an chiontacht ag dul in olcas uirthi arís mar leac mar gur chuala sí a ghlór ina leath-thonach linbh ag gabháil leithscéil as dearmad a dhéanamh ar chóisir a thuismitheoirí agus go bhféadfadh sé teacht ar ais go luath inniu agus í a thabhairt chuig an gcóisir dá mba rud é theastaigh.

"Ó, mil," a cheap sé, "Ní hea! Bheadh sé sin ag briseadh rialacha an Mháistir."

Chuir a smaointe féin ionadh uirthi, bhí na rialacha mar chuid dá saol agus níor thuig sí cén fáth arbh é a céad smaointe ná a bheith buartha faoi neamhghéilleadh do rialacha an Mháistir agus gan Harry a fheiceáil arís.

Chroith an smaoineamh a ghreim neamhbhuana ar a réaltacht féin agus d'éist sé le dhá theachtaireacht eile ó chairde sula ndeachaigh sé ar ais chuig teachtaireacht Harry agus éisteacht léi arís eile, ag iarraidh cinneadh a dhéanamh ar cheart freagra a thabhairt nó gan freagra.

Bhí sí ag béiceadh a liopaí agus ag coinneáil an ghutháin ina lámh ag féachaint air le léiriú tuisceanach nuair a mhothaigh sí a láithreacht agus ag féachaint suas, léim sí ciontach nuair a chonaic sí é ag claonadh in aghaidh an dorais ag féachaint uirthi.

"Cad atá tú a dhéanamh cailín beag?" rinne sé aoibh uirthi nuair a chonaic sé a héadan flushed.

"Tá mé ag seiceáil na teachtaireachtaí a chaill mé aréir, Máistir," stammered sé.

"Ó, agus conas atá do mháthair ar maidin álainn? Ba cheart duit glaoch ar ais uirthi agus ligean di tú a líonadh isteach ar an dram go léir."

"D'fhág sé níos mó ná teachtaireacht amháin dom, sílim go bhfuil mé suas chun dáta."

"Is léir go gcaithfidh sí labhairt leat Susy, cuir glaoch ar do mháthair."

D'iompaigh a ghuth údarásach agus chuardaigh sí a fón chun an uimhir a aimsiú.

"Sea, a Mháistir," adeir sé agus bhuail sé an cnaipe diail.

Is ar éigean a thug Susan aird ar a máthair ó thosaigh sí ag labhairt, ag breathnú ar a Máistir ag bogadh go héasca timpeall na cistine agus é ag déanamh caife dubh agus tósta dó féin a d'ith sé le cainéal meilte agus siúcra.

D'iompair sé í gloine agus a deoch agus a bia go dtí an bord beag in dhá thurais, agus ní fhaca sí a chorp ach leath ag éisteacht lena máthair.

Agus é ag caitheamh jeans gorm, chuir a chraiceann olóige coirtithe air cuma níos matánach agus níos óige ná mar a cheap sí.

Is léir gur thug sé aire dó féin, agus murab ionann agus fir eile dá aois, ní raibh bolg ar bith aige agus ní fiú leid liath.

Rinne sí iarracht cuimhneamh ar nuair a bhí a breithlá deireanach.

"Tá sé cara d'athar, ní fhéadfadh sé a bheith i bhfad níos óige, ceart?" Mheas sí nuair a thosaigh a máthair ag caoineadh eile ina cluas.

D'fhill sé chuici ag tógáil a láimhe uirthi agus á threorú go dtí an bord agus á threorú chun a ghlúine in aice lena chathaoir.

Chomh galánta agus a d'fhéadfadh sí a bheith agus an guthán á coinneáil lena cluas, chuaigh sí ar a glúine os a chomhair agus bhog sé a chathaoir ionas go raibh sé idir í agus an bord.

Ag brath ar a ceannasacht agus ar an gcoimhlint mothúcháin a chuaigh léi, d'éiligh sí cuairt ar an seomra folctha mar leithscéal chun stop a chur le histrionics a máthar agus chroch sí suas.

Ag coigeartú a ghlúine níos faide lena chos, chlaon sé síos chun an léine a chuir sí air níos luaithe a tharraingt, ag nochtadh a corp dá shúile.

"Gach ceart go leor sa bhaile, a dhuine bhig?" Rinne sé miongháire agus é ag stróiceadh cúinne den tósta agus thug sé di é.

Rollta sé a shúile sular cheartú iad ar an mbia agus shlogtar a bhéal. Freagraí:

"Tá aithne agat ar mo mháthair, is breá léi a bheith i lár na drámaíochta cosúil le banríon na drámaíochta, an raibh a fhios agat go raibh cuideachta lónadóireachta socraithe?" Aoibh sé agus Chlaon. "Bhuel anois tá a cuid drámaíochta dírithe ar dhaoine aisteacha ina teach, go háirithe ar dhaoine aisteacha ina cistin." Stop sé agus gáire. "Fiú nach bhfuil cead agam chun cócaireacht ann gan a mhaoirseacht."

Robert chuckled ag samhlú an bhean petite de shliocht Iodálach ag caitheamh bioráin rollta ag na daoine atá ag ionradh na cistine.

Paul bocht, shíl sí agus í ag cur an chéad smaoineamh eile in iúl:

"Beidh d'athair in ann é a láimhseáil go dtí go dtiocfaidh tú ann, ná bí buartha a dhuine bhig."

Thóg sé greim eile agus rith a lámh síos a scornach go dtí a ghualainn.

"Tá tú álainn sin mo Susy."

Shlog sí go crua agus thosaigh sí ag greim ar a liopa, agus mar a rinne sí go minic nuair a bhí imní uirthi, tháinig anacair anuas uirthi agus d'iompaigh a smaointe dorcha agus imníoch.

"Cad atá suas, mo Susy?"

Giotán sí a liopaí níos mó ag smaoineamh ar na rudaí go léir a bhí mícheart agus na ceisteanna a cráite.

Bhí an chóisir ann anocht, bhí rudaí ann ba ghá di a iarraidh, agus chrom sí uirthi féin as a bheith buartha faoi trína chéile.

Seans go mbeidh deireadh leis tar éis an deireadh seachtaine do gach a raibh a fhios aici.

Ghlac sé anáil dhomhain agus thosaigh sé:

"Anocht beidh muid ag teach agus cóisir mo thuismitheoirí. Ní féidir liom a glúine ar do ordú ann, ní thuigfeadh siad. Ní dóigh liom go dtuigfinn ach an oiread, is éard atá i gceist agam ba mhaith liom tú a shásamh, i ndáiríre, ach ní raibh mé in ann é sin a dhéanamh agus dúirt Tú nach mbeidh an tseachtain thart go dtí Dé Luain."

Stop sí le haghaidh anála agus giotán a liopaí mar a d'fhéach sí air.

"Mo sclábhaí milis, ní gá go mbeadh a fhios ag aon duine cad atá déanta againn an tseachtain seo nach dteastaíonn uainn go mbeadh a fhios acu. Is mise agus gníomhóidh tú dá réir sin, táim cinnte. Iontaobhas dom, ní chuirfinn riamh. tusa nó do chlú i gcontúirt, ach dhéanfainn-se é." Déanfaidh tú mar a iarraim. Is mise do Mháistir agus is í do chailín álainn anois mo sclábhaí."

Blinked sí ag iarraidh ciall a bhaint as a chuid focal, mearbhall soiléir ar a aghaidh.

"Ach..." thosaigh sí.

"Susy". Dúirt sé le guth éilitheach, "Caithfidh tú muinín a chur asam. Anseo san oifig agus i measc daoine sa 'stíl mhaireachtála' seo, gníomhóidh tú leis an teagasc go léir atá agat an tseachtain seo." Dúirt sí, "Le teaghlach agus cairde agus iad siúd a luaigh tú chomh hoiriúnach sin nach dtuigfeadh siad, beidh rialacha éagsúla ann ó chúntóir pearsanta tiomnaithe go cara deifir."

Bhí a guth údarásach agus chrom sí gan fiú smaoineamh, ach lean sí uirthi ag greim a liopaí agus a hintinn ag brath óna chuid focal.

Shín an ciúnas amach mar a shíl sí agus rinne sí iarracht ciall a bhaint as a cás.

"Susy labhairt liom." Goaded sé é.

"An mbeidh do bhean ann?" Muttered sí, flush te líonadh a aghaidh.

"Sea, céanna liomsa. Tá a fhios agat cheana féin é sin."

"Mise ..." Giotán sí a liopa, "Is é an rud atá i gceist agam, conas a bheidh mé ag tabhairt aghaidh uirthi tar éis an méid atá déanta againn an tseachtain seo?

Líon náire agus ciontacht a aghaidh le blushes dorcha.

"Tá tú tar éis a thuiscint nach bhfuil muid ag maireachtáil le chéile le blianta, ba chóir go mbeadh a fhios agat fiú sin níos luaithe. Phós muid toisc go raibh ár dteaghlaigh ag iarraidh é, ar an gcúis chéanna go raibh leanbh againn. Is cairde muid, rud ar bith níos mó, rud ar bith níos lú. Is breá liom pléisiúir BDSM níos fearr agus tá a pléisiúir féin ag mo bhean chéile. Tá meas againn ar a chéile i gceantar nach bhfuil muid páirteach i bpáirt a chéile, déarfaimid."

Bhí ionadh ar Susan.

An t-am seo ar fad a bhí ag ligean air a bheith pósta go sona sásta, mar sin cén fáth bodhraigh?

Ní raibh an scéal chomh criticiúil a thuilleadh.

Rinne sí machnamh ar a tuismitheoirí agus ar thógáil na Meánmhara a bhí ag a máthair agus thuig sí na bacainní a bheadh uirthi, ach is cinnte nach mbeadh a thuilleadh.

Shuigh sí ag béiceadh a liopaí agus ag smaoineamh ar rud éigin a rá nuair a thairg sé píosa eile de thósta cainéil-siúcra di.

"Cén fáth fanacht pósta mura bhfuil an cineál sin meas ábhartha a thuilleadh."

"Ní hé d'áit a cheistiú cad a dhéanfaidh mé, ach muinín a bheith agam go bhfuil a fhios agam cad is fearr agus géilleadh dom, a Susy."

Bhí faobhar ar a ghlór agus mhéadaigh a súile uirthi nuair a thuig sí cad a bhí le rá aige.

D'oscail sí a béal chun leithscéal a ghabháil.

Rinne sé sneaiceanna uirthi agus í ag glacadh a chuid focal, thug a tógáil choimeádach radharc an-teoranta ar an domhan di agus bhí an gá atá aici le ceannasacht i gcogadh leis an rud a tógadh í chun a chreidiúint a bhí ceart.

Bhí sé in ann í a fheiceáil ag screadaíl ar a ton mar a thuig sí a botún, mar sin lean sí uirthi:

"Ní fhaca mé riamh an gá le colscaradh, tá cónaí orm mo shaol féin. Conas is mian liom, agus lena ba mhaith liom. Tá an nasc idir Máistir agus a sclábhaí i bhfad níos láidre ná píosa páipéir a dhearbhaíonn tú pósta nó colscartha."

Giotán sí a liopaí go neirbhíseach ag an ton crua ina ghuth agus d'ísligh sí a radharc.

"Mo Susy beag milis," thosaigh sé. "Is breá liom tú, tá mé ag teastáil uait, ba mhaith liom aire a thabhairt duit, tú a chosaint, sásamh a thabhairt duit mar nach raibh tú riamh roimhe seo. pléisiúir, agus cailín a bhfuil múinteoir de dhíth uirthi". Chroch sé a smig air agus í ag féachaint air, "Tá sé ceart go leor a bheith macánta leat féin, tuigim an imní atá ort faoin deireadh seachtaine seo, ach ná déan aon bhotún, ní ghlacfaidh mé le petulance childish nó má cheistítear mo chinntí. Caithfidh tú muinín a bheith agat as seo : Tá a fhios agam cé tú féin agus cad tú mo sclábhaí agus gníomhóidh mé dá réir".

Bhí sucked sí ina liopa bun agus bhí greim síos air arís sular chríochnaigh sé.

Ag cur an léine a chaith sé fós ar a guaillí agus a lámha, dúirt sé go simplí "Lámha" agus d'ardaigh sí a lámha dó.

Shroich sé trasna an bhoird chun rópa a thógáil as an gcarn a chuir sí ann roimhe sin.

Cheangail sé go docht isteach i snaidhmeanna casta iad sular shroich sé amach agus timfhilleadh lámh thart ar a scornach chun í a tharraingt ar a cosa mar a d'éirigh sé.

"Is mise do Mháistir, ní hamháin mar go bhfuil grá agam duit, ach toisc go bhfuil gá agat liom."

Ag tacú léi go dtí an bealach isteach go dtí an halla beag as a raibh an seomra folctha, d'ardaigh sé a lámha agus snáithithe deireadh an rópa trí súilíní ceilte go cliste ag APEX an áirse.

Chaoin sé a aghaidh agus í ag faire air, agus chlaon sí isteach chun í a phógadh go domhain, a mhéara ag spochadh as a siní sular tharraing sé ar shiúl go tobann agus craiceann bog a chlí á lasadh ag fágáil a lámhphrionsa ag gliondar ar a craiceann.

"Beidh tú muinín dom, mo daor." spanked sé a breasts arís. "Glacfaidh tú leis go bhfuil cúiseanna agam le gach rud a dhéanfaidh mé." Choinnigh a lámha ag téamh a feola ag seoladh tonnta pian tríd, "Ní cheisteoidh tú mo chinntí arís."

Tharraing sé uaidh mar thit deoir ar a leiceann.

"Is féidir linn labhairt agus beidh muid ag caint, ar ndóigh." Dúirt sé: "Molaim duit faisnéis a lorg, ach NÍ dhéanfaidh tú mo chinntí a cháineadh trí mo ábharthacht do dhaoine eile a cheistiú. Shíl mé go ndearna mé soiléir aréir gurb é an t-aon ábhar imní atá agat ná mé a shásamh. Cad a dhéanann nó nach gceapann daoine eile faoi na hábhair seo is cuma linn nó pinch".

D'oscail sé clóiséad beag in aice leis an áit ar crochadh sí, bhog sé roinnt boscaí amach chun tosaigh, agus tharraing amach vibrator féileacán-chruthach.

Go tapa fillte ar an leaisteacha thart ar a pluide, brúite sé go dian idir an folds a pussy ionas gur thaisceadh sé i gcoinne a clit sular casadh sé ar.

Chuir crónán an fhéileacán í ag caoineadh agus ag léim agus é ag casadh ar an suíomh is airde í agus ar ais chuig an closet.

Bhí sí ar crith le ceint agus é ag manacláil a rúitíní i leathar bog.

Cheangail sí ansin iad le barra beag leathadh a chlampáil a cosa síos chun brú go láidir ar an féileacán i gcoinne a clit ata ag déanamh a caoineadh agus tug ag a srianta.

"A leithéid de slut beag te." Ghlaoigh sé agus é ag bogadh a mhéara isteach ina poll fliuch agus scaipeadh é ar oscailt le dhá cheann dá mhéar.

D'fhéadfadh sí a matáin a mhothú níos doichte agus é ag bogadh isteach agus amach aisti go mall iad.

Bhí sí ag panting go neirbhíseach nuair a tharraing sé a mhéara siar go tobann agus dúirt sé:

"Níl go fóill, mo fraochÚn ngéarghátar."

Ag féachaint taobh istigh den chomh-aireachta, mheas sé an t-ábhar.

Bhí air a bheith cúramach agus í á mharcáil, mar bheadh an chulaith a roghnaigh sé di anocht an-nochtúil.

Ag iompú ar ais chuici, chlampáil sé a clúidíní, a fhios aige nach mbeadh sí ag mothú mórán ar dtús go dtí go gcuirfeadh sé brú orthu.

Mhínigh sé di, agus é ag brú orthu agus ag fás a moans, cad a bhí á dhéanamh aige agus conas a d'fhéadfaí na teanntáin nipple a choigeartú le haghaidh riachtanais éagsúla.

Bhí crith a corp agus sceal tanaí perspiration ag tosú ag léiriú mar a bhraith sí tendrils fada pian ardú go mall agus sreabhadh chuig a cíoch agus páirt a ghlacadh sa pléisiúir thrilling assailing a clit.

Ag tabhairt céim taobh thiar di, caressed sé í cruinn, bun daingean.

Ní raibh sé in ann fanacht go dtí go raibh a dhóthain traenáilte aige chun an poll teann sin a thógáil.

B'fhéidir go n-éireodh go maith léi inniu leis an bplocóid níos lú chun an méid a oscailt beagán.

Aoibh sé ag éisteacht léi panting moans.

Thóg sé amach fuip suede beag bog as a phóca cúil.

Chlaon sé isteach ina cluas murmuring:

"Tá a fhios agat cén fáth a bhfuil tú á phionósú, a dhuine bhig. Caithfidh tú muinín a chur asam."

Bhí a ghuth beagnach gríosaitheach nuair a dúirt sé an ceann deireanach.

Ag tacú le beagán, thosaigh sé ag luascadh a lámh i tairiscint den sórt sin gur thrasnaigh ocht n-arm na fuip a dhroim níos ísle agus a thóin.

Whipping go réidh ar dtús, ach níos deacra le gach rothlú a lámh.

D'iompaigh a craiceann ó bhán go bándearg agus ó bhándearg go dearg mar a d'éiligh sí air:

"Tá sé seo ag teastáil uait, a shlut beag. Teastaíonn Máistir uait a bhfuil aithne aige ort. Cé aige a bhfuil aithne aige conas pionós a ghearradh ort, conas tú a úsáid, conas pléisiúir agus pian a thabhairt duit, agus conas a chuireann tú crua ort."

Do stad sé de chraicionn í, do sháigh dhá mhéar isteach 'n-a cunt, agus do ghlaoidh sí le gárda.

"Máistir le do thoil, sea. Le do thoil, caithfidh mé cum anois." A cromáin ar athraíodh a ionad chuimil mé i gcoinne a láimhe. "Is gá dom é, ba mhaith liom é, le do thoil Máistir."

"Sea, mo shlut beag gáirsiúil. Cum ar do Mháistir, MO sclábhaí. Tar anois agus taispeáin don Mháistir cé chomh sásta agus atá tú teacht chugam."

Phumpáil a mhéara isteach agus amach aisti agus í ag caoineadh agus ag magadh i gcoinne a srianta.

Bhí a pussy clung ar a mhéar mar dripped sí isteach ar a lámh.

Ag síneadh timpeall uirthi lena lámh eile, scaoil sé amach a clúidín, ag caoineadh ina groan pian.

Nuair a scaoil sé na teanntáin sular tharraing sé ar an tsrón a raibh a lámha in áit, rug sé uirthi agus í ag sracadh a corp in orgasm a raibh súil leis le fada, ag tógáil suas í agus á iompar chuig an mbord.

Lean sé trasna an bhoird í, d'fhéach sé síos ar a bun dearg agus a pluide fliucha agus í ag sciobadh amach as a jeans.

Tháinig sé isteach í go tapa gan leisce agus thosaigh fucking di domhain.

Leath sé a lámha thar a masa deargtha agus rith a mhéara, greamaitheach lena súnna, iad thar an taobh amuigh dá asal.

D'éascaigh sé méar go mall isteach sa pholl teann.

Bhí sí ag caoineadh agus ag gasping agus é ag sá go dian isteach inti, ag luascadh a corp go mór in aghaidh an bhoird.

A mhéar choinnigh waving domhain isteach ina asal.

adeir sé léi:

"Cé leis tú daor?"

adeir sí go crosta:

"Tá tú, tú féin dom." Stammered sí moaning mar sá sé isteach uirthi arís, crua, "Tionchar an-mhór ort féin."

"Come on cum arís MO slut cum arís do Mháistir."

Shín sé amach lena lámh saor chun greim a cuid gruaige agus d'ardaigh sé a ceann agus í ag screadaíl amach os ard agus an dara horgasmais aici ag macalla a roar domhain agus é ag líonadh lena speirm féin í.

Thit sé ar a bharr le análú trom agus d'fhan sé mar sin ar feadh tamaill mar gur mhothaigh sé go raibh a corp ag crith go mall faoina bhun óna orgasm.

Ag tógáil a mheáchan di, scaoil sé na rópaí as a lámha sular tharraing sé amach ar deireadh í agus ag síneadh síos chun a rúitíní a scaoileadh.

Ag tógáil na gruaige go réidh óna héadan, dúirt sí:

"Cailín maith".

Thug sé isteach sa seomra folctha í agus chas sé an cith uirthi sular fhág sé í le glanadh suas.

Rinne sí a bealach go dtí an cith ar cosa shaky agus shuigh sí ar an imeall ligean don uisce doirteadh anuas uirthi ar feadh cúpla nóiméad agus sí téarnamh.

"Thug mé orgasms iontacha di, an raibh sé mar gheall ar an bpian amháin? An é an bealach a rialaigh sé a intinn agus a chorp? Ar thug mé an rud a bhí uaidh, á thaitneamh as?" Shíl sí agus an t-uisce ag breacadh síos a cosa.

Ní raibh a fhios aici ach go shéid sé a aigne gach uair agus go raibh sí ag críochnú leis an gcuisle griofadach seo agus í ag snámh ar scamall de aoibhneas orgasmic.

Sheas sí suas agus nigh sí í féin, ag ligean a méar fhan thar a siní agus asal pianmhar mar a mheas sí cad a dúirt sé.

Bheadh sé deacair sa chás is fearr aghaidh a thabhairt ar a theaghlach agus a chairde tar éis na seachtaine a bhí aige, go háirithe lena Mháistir ann.

Ní bhfaigheadh siad é, ní bhfaigheadh sí féin é dá dtiocfadh sé go léir síos chuige sin.

Bhí imní uirthi, bhí a fhios aici gur droch-smaoineamh é dul abhaile an deireadh seachtaine seo.

Nuair a tháinig sí amach as an seomra folctha, bhí an árasán glan agus a Mháistir, gléasta go casually i jeans agus léine cadáis, ina shuí ag léamh an nuachtáin agus ag fanacht léi.

"Caithfidh muid dul chun éadaí a fháil duit agus mála a phacáil don deireadh seachtaine. Cuir ort do chóta agus do bhróga ón oíche aréir. Tá mo thiománaí thíos staighre ag fanacht linn."

Gasped sí agus d'ardaigh sé eyebrow uirthi amhail is dá daring di a chuid treoracha a cheistiú.

Nuair a thuig sí nach raibh mórán roghanna ann, chuaigh sí go míshásta chun teacht ar a cóta slógtha thar chúl cathaoir agus shleamhnaigh isteach ina bróga sála arda.

Agus a cóta á cheangail go docht timpeall a coime, d'fhéach sí suas agus é ag bailiú cúpla rud ón nóiméad deireanach agus thug sé a ghuthán di sular oscail sé doras an halla.

Agus é ag fanacht leis an ardaitheoir, d'iarr sé go ciúin:

"An bhfuil na comharsana cairdiúil? Ar chuala siad sinn, mar dhea, ar maidin agus aréir?"

spléach sí pointedly ar na doirse eile sa halla.

chuckled sé mar blushed sí:

"Is le mo chuideachta na hárasáin seo, do chliaint roghnaithe a thugann cuairt orainn ó lasmuigh den stát nó ó thar lear. Agus tá siad i bhfad níos deise ná óstáin, go háirithe dóibh siúd a bhfuil stíl mhaireachtála cosúil linne acu. D'fhan Barry agus Cinthia anseo oíche Chéadaoin."

"Ó." Dúirt sí beagán ró-anáil, a súile leathan.

AN TRIAIL DEIREANACH

Shroich an t-ardaitheoir agus bhí an turas gairid go dtí an carr ina thost, ach chuir sé a lámh go seilbheach timpeall chúl a muineál mar a bhí aige an oíche roimhe agus iad ag siúl tríd an bhfoirgneamh go dtí an bealach amach.

Bhí a fhios aici anois gurbh leis féin an foirgneamh seo, fuair sí amach gur chuir sé suaimhneas uirthi.

Rinne an tiománaí aoibh uirthi, bhí sí sa charr aige arís agus arís eile agus thuig sí a dílseacht iontach dá Máistir.

"Cá dtéann muid ar dtús, Boss?" d'iarr sé jovially.

"Chun árasán Susan, tá sí rud beag imníoch faoi cad atá faoin cóta sin, cé go bhfuil sé go hiontach i mo thuairim."

Cumasc an carr isteach sa trácht agus an tiománaí ag leanúint ar aghaidh:

"Tá mé cinnte go bhfeicfeadh Susan go hiontach i seaicéad más é sin go léir a bhí uirthi a chaitheamh."

Ghlais Susan go domhain agus bhog sí ina suíochán, ag cogar:

"Más é sin go léir ..."

Robert gáire agus chlaon isteach ina.

"Dí-chnaipe do chóta, a Shuí." Hesitating, d'fhéach sí suas, a súile leathan. "Cad ba mhaith liom, nuair is mian liom, conas ba mhaith liom, sclábhaí beag."

Ar chlé gan rogha ar bith, shín sí suas go triaileach go cnaipí a cóta, agus thug sé barróg di agus é ag tosú ar é a chealú.

"Ní gá a bheith measartha, tá na fuinneoga tinted Susy," d'oscail sé an cóta ag nochtadh di go hiomlán sular casadh ar ais chuig an tiománaí, "Tá mé ar tí a dhéanamh do chara lá, ach breathnú ar cé chomh iontach is atá mo sclábhaí i ndáiríre!"

89

Choigeartaigh an tiománaí an scáthán rearview agus rinne sé feadaíl:

"Simplí iontach Robert, comhghairdeas, geall liom go bhfuil sí marcáilte go maith go leor freisin."

Bhí iontas ar Susan agus thit a béal oscailte de réir mar a lean an comhrá ar aghaidh.

"Ó sea, d'úsáid mé flogger uirthi ar maidin, agus d'oibrigh sé go han-mhaith más féidir liom a rá liom féin."

D'ísligh Robert a ceann isteach ina lap agus bhuail sé a ceathar agus taobh thiar de.

Cringed sí, blushing fiú níos mó ag an teas a tháinig chun a aghaidh mar a d'ardaigh sé a cóta a nochtadh di asal fós scarred.

"Féach a chara, cad iad na brandaí áille"

"Fuck Robert, tá mé ag iarraidh a thiomáint anseo."

Rinne Robert smacked í ar chúl arís, ag déanamh caoineadh ina lap agus é ag gáire leis an tiománaí.

"Seo liomsa anois, agus gan dabht feicfidh tú níos mó di."

D'fhág sé sa phost sin í ar feadh cúpla nóiméad eile sular scaoil sé a ceann ionas go bhféadfadh sí suí suas.

Ansin dúirt sé leis:

"Anois is féidir leat suí síos ceann beag agus cnaipe suas do chóta arís mar go bhfuil muid beagnach i d'árasán."

Shuigh sí suas lena aghaidh go hiomlán scarlet as an emotion a bhí bhraith sí.

Nuair a nochtaíodh í mar seo d'fhág sí mothúcháin an-mheasctha, ach thuig sí go raibh sí fliuch sa chrotch.

Tháinig crith ar a méar agus í ag deargadh na cnaipí agus cheangail sí an cóta go daingean ina áit.

Roinnt uaireanta i rith na seachtaine bhí sé faoi lé daoine eile í, ach bhí cuma difriúil uirthi san oifig.

Dhún sí a súile ag iarraidh a thuiscint cad a dúirt sé:

"Níos mó di? Ach bhí an tseachtain beagnach thart, agus bhí sé ag gníomhú mar a bhí sé chun í a choinneáil mar a sclábhaí ar feadh i bhfad níos faide." Bhí an-spraoi ar a aigne nuair a thuig sí nárbh é seo an chéad uair a thug sé leid ar rud mar sin.

Stop an carr agus d'oscail sí a súile chun a bloc árasán a fheiceáil.

Shroich sí an lámh go dtí gur stop sé leath bealaigh í.

"Fan go dtí go n-osclaíonn an doras duit, a Susy."

"Tá, máistir."

D'éirigh an tiománaí amach chun a dhoras a oscailt agus luigh sé léi agus í ag éirí as an gcarr, a lámh ag sleamhnú ón taobh bheag di go dtí a cúl agus é ag cuidiú léi go dtí seasamh ar an gcloch.

Agus í ag fanacht lena Máistir ag an doras, d'éirigh sí go neirbhíseach ar mhian léi go raibh sí istigh.

Idir an dá linn, labhair sé go ciúin leis an tiománaí sula ndeachaigh sé isteach léi agus é ag siúl go dtí an t-árasán beag a bhí ar cíos ag a thuismitheoirí dó.

Chomh luath agus taobh istigh den árasán, sighed sí faoisimh agus chuaigh isteach ina seomra a grab a mála thar oíche agus tús a phacáil.

Lean Robert gar taobh thiar, ag oscailt na gcófra agus ag cuardach taobh istigh.

"Ba mhaith," chroith sí a ceann, "ní mór dúinn i ndáiríre a fháil ar roinnt éadaí nua duit," a dúirt sí ag tarraingt amach gúna gearr, skimpy, a chaith sí ar an leaba, "Caithfidh sé sin a dhéanamh faoi láthair. téigh go dtí an oifig nuair a thógann mo charr suas sinn." agus gheobhaidh muid éadaí eile níos oiriúnaí le pacála."

Thosaigh sé ag breathnú tríd a chuid tarraiceáin:

"Ní bhíonn jeans ach le haghaidh stórála as seo amach. Beidh tú ag caitheamh sciortaí nó gúnaí i gcónaí mura ndéarfaidh mé a mhalairt leat."

"Tá sé leis sin arís." Shíl sí agus mar a shleamhnaigh sí an gúna thar a ceann, dúirt sí na focail ar a aigne sula bhféadfadh sí stop a chur leo, "Go dtí an Luan ceart?"

Iompaigh sé agus chuaigh sé chun cinn i dtreo di ag déanamh cringe di ar an méid a bhí ráite aige.

Níorbh fhéidir léi a chreidiúint go raibh na focail sin doiléir aici agus theastaigh uaithi go scriosfadh sí iad láithreach,

"Ciallaíonn mé, labhair muid faoi an tseachtain seo, ba mhaith liom a bheith i do sclábhaí go dtí an Luan mar a dúirt tú ..." Ní fhéadfadh sí a insint an raibh sé feargach nó nach raibh mar bhuail sí a súile agus dúirt sé, "Máistir?"

Chrom sé a smig idir a mhéara ag cinntiú gur bhuail sí a shúile.

"Is leatsa mo Shúsa. Is mise an té a chuireann sult as do chorp, a thugann an méid atá uait agus a theastaíonn uait. Is tusa, a dhuine bhig, an sclábhaí ar a bhfuil mé ag fanacht, géilliúil, luachmhar agus grámhar." Phóg sé í. "Agus tá a fhios agat anois, tar éis duit a bheith i mo sclábhaí an tseachtain seo, cad atá ceart duitse. Cé chomh mícheart is atá an buachaill lag sin leat. Tá a fhios agat go bhfuil tú agam."

Bhí sé in ann na mothúcháin a fheiceáil ag imirt ar a aghaidh álainn agus í ag ionsú a chuid focal.

"Táim chomh bródúil gur mise liomsa nach bhfuil mé ag iarraidh ligean duit dul ar an Luan fiú am ar bith go luath. Ba mhaith liom a thaispeáint don domhan laistigh den stíl mhaireachtála seo cad atá tú, an sclábhaí foirfe. Ba mhaith liom níos mó a thaispeáint duit. an domhan sin agus an domhan i gcoitinne." agus ba mhaith liom go bhfeicfí níos mó thú, a sclábhaí beag milis. Ach is leatsa an rogha. Má roghnaíonn tú imeacht Dé Luain ní bheidh an dara seans ann Fágfaidh tú mé, an cuideachta agus do chairde nua. Seo mar ba chóir dó a bheith".

Bhí uafás uirthi faoin smaoineamh nach bhfaca sí arís é nó gan a bheith in ann oibriú sa chuideachta arís.

"Cad é mura bhfuil mé in ann é a dhéanamh? Tá an oiread sin le foghlaim, le fios, le déanamh. Conas a bheidh a fhios agam an féidir liom gach rud is mian leat a dhéanamh?" Is ar éigean a bhí a guth ina cogar, "Cad é má ligeann mé síos duit, náire thú, gortaítear do chlú?"

"Is é an bhfíric go gcuireann tú na ceisteanna sin, thar aon rud eile, a deir go leor fút cheana féin." Dúirt sé léi, "Is cuma leat mo thaitneamh a bhaint as agus is cuma leat fút féin. Tugann sé sin le fios dom gur tú an sclábhaí foirfe is dóigh liom go bhfuil tú. Ná bíodh imní ort gan díomá a chur orm, is é mo dhualgas mar do Mháistir. chun oiliúint a chur ort gan tú a oiliúint." Sin a bhí an tseachtain seo caite. Tá gach rud a d'iarr mé agus níos mó déanta agat. Ní fhéadfainn a bheith níos sona. Anois stop ag póitseáil. Níl Petulance ag dul i sclábhaí agus ní bheidh sé agam.
"

Anois is cosúil go raibh iontas uirthi, chuir a guth in iúl é:

"Ba mhaith liom tú a shásamh. Tugann sé mothú iontach dom taobh istigh nuair a deir tú go bhfuil tú bródúil nó sásta nach féidir liom cur síos ceart a dhéanamh air, ach tá an oiread sin rudaí faoin sclábhaíocht nach dtuigim. Tá imní orm go bhfaigheadh cairde nó teaghlach amach. Nílim ag iarraidh díomá a chur ar éinne".

Rinne sí iarracht gan whiny a fhuaimniú, ach bhí a fhios aici go raibh sí agus stop sí ag féachaint air.

"Ní gá go mbeadh a fhios ag aon duine ach amháin má tá sé mar chuid den stíl mhaireachtála. Má chinnimid ar deireadh a insint do dhuine eile go bhfuil muid i gcaidreamh níos faide ná cairdeas, déanfaimid é a phlé ar dtús."

Bhí an chuma ar an scéal go raibh sé réasúnta go léir nuair a dúirt sí é mar sin, ach bheadh saol dúbailte aici lán de rúin agus bréaga, conas a d'fhéadfadh sí aghaidh a thabhairt ar a tuismitheoirí agus a Máistir os a comhair agus gnáthghníomhú a dhéanamh?

Giotán sí a liopa, a mhéara fós a ceann ina áit.

"Tá i bhfad níos mó i gceist le sclábhaíocht ná an tseachtain seo amháin agus ba mhaith liom tú a threorú chun é a iniúchadh go léir. Is mise do Mháistir agus géillfidh tú dom i ngach ní, ach déanfaidh tú iniúchadh le daoine eile freisin má roghnaíonn mé ionas go bhfoghlaimeoidh tú gach rud ann. é a thairiscint duit, ionas go mbeidh a fhios agat cad a thugann lúcháir ort agus rudaí a mhéadaíonn do chumas pléisiúir."

Níorbh é seo an t-am a bhí sé ag iarraidh an comhrá seo a bheith aige, chonaic sé go raibh eagla uirthi agus is ar éigean a bhí a intinn ag ionsú a chuid focal.

Lean sé go mall.

"Bíodh a fhios agam go bhfuil mo smacht agus máistreacht ort chomh iomlán sin go gcloífeá liom i ngach rud a d'iarr mé ort, a líonann an fholamh i mo shaol agus a chríochnaíonn mo uaillmhianta is mó. Beidh tú i mo stór is luachmhaire, Susy. Ba mhaith liom a ghlacadh. aire a thabhairt duit, aire a thabhairt duit agus grá a thabhairt duit. Is é an rud a iarraim mar mhalairt ar chách géilleadh agus deabhóid."

Bhí a intinn ag sníomh.

msgstr "Rialú i gcrích!"

Bhí a intinn ag rásaíocht.

"Cad faoi mo chairde, an saol a bhí agam roimhe an tseachtain seo?" a dúirt sí.

"Ó milis Susy, ar ndóigh beidh tú roinnt saoirsí chomh fada agus a aontaíonn muid cé, cathain, agus cén áit." Aoibh gháire sé, "Caithfidh tú slán a fhágáil le Harry, níl sé sin soshannta, ní raibh sé maith go leor duit. Is é an duine a bhfuil gaol agat leis ná mo chinneadh anois agus géillfidh tú dom."

"Tá, máistir."

"Ní chuirfidh mé iallach ort do chinneadh deiridh a dhéanamh anois, ach beidh ort go dtí Dé Luain smaoineamh air mar a d'aontaigh muid, ach go dtí sin is tú mo mhaoin, a bhfuil meas agus stór ort. Beidh muinín agat asam agus géillfidh tú dom, a thuiscint?"

"Tá, máistir."

Phioc sí suas an mála codlata folamh agus thóg a lámh, á threorú tríd an árasán agus amach as an bhfoirgneamh i dtreo an ghluaisteáin feithimh, scanrúil an tiománaí dozing a rushed chun an doras a oscailt.

Beagnach i turraing leis an luas a tharla rudaí ina árasán, lig sí í féin a bhrú isteach sa charr.

Dúirt Robert leis an tiománaí ansin iad a thabhairt chuig an gcuideachta.

Ag dreapadh isteach in aice léi agus an tiománaí ag dul isteach sa charr, d'fhéach Robert go tuisceanach ar Susan.

"Ollmhilleadh iomlán don chéad daichead a hocht n-uaire an chloig eile ar a laghad, is cuma cad a iarraim ort."

Bhí sé chun brú a chur uirthi níos deacra anois ná go raibh sé tar éis a rá léi cad ba ghá di a bheith ar eolas agus gur thug sé an ceart di a roghnú Dé Luain glacadh leis an méid a bheadh i gceist aici an smacht a bhí aici a thabhairt dó.

Cé nach raibh sé cinnte an bhféadfadh sé glacadh lena cinneadh dá ndiúltódh sí a bheith ina sclábhaí.

"Tá, máistir."

Giotán sí a liopa agus crith agus sí ina suí síos chun breathnú ar a lámha ina lap.

Bhí a aigne ag sníomh, ag caoineadh a tuismitheoirí agus a cairde go bhfaca sí ag lúbadh dá n-uacht chomh héasca sin.

"Is liomsa thú, a dhuine bhig, is sclábhaí nádúrtha tú, ní gá duit ach breathnú taobh istigh duit féin chun glacadh leis go bhfuil sé fíor."

Shín sé amach agus tharraing strapaí a gúna síos a guaillí chun a cíoch a nochtadh agus iad ag tiomáint.

Phion sí a siní agus í ag machnamh:

"Conas a bhraitheann tú faoi piercing iad?"

"Níor smaoinigh mé air roimh an tseachtain seo, a Mháistir. An rud é gur mhaith leat?" Bhí a shúile leathan.

"Níl mé cinnte. Cad a cheapann tú, John?"

Choigeartaigh an tiománaí a scáthán chun breathnú uirthi arís.

"Tá siad an-álainn ach ar an mbealach tá sí iad, Robert, ach is féidir piercings a bheith an-deas. Buille faoi thuairim mé braitheann sé ar cé acu is mian leat a choinneáil ar a cuma milis neamhchiontach, a casadh orm ar, nó cibé an bhfuil tú ag iarraidh a thaispeáint taobh eile. uaithi."

Robert caressed a leiceann.

"Tá sí milis agus neamhchiontach, mo chara."

Bhí an chuma ar an turas chuig an gcuideachta go tapa sa trácht deireadh seachtaine nach raibh chomh hectic.

Nuair a tháinig siad os comhair an fhoirgnimh, thug Robert na heochracha dá charr féin do John agus thug sé treoir dó na málaí a aistriú chuig a charr agus ansin teacht go dtí a oifig chun eochracha a charr a thabhairt ar ais.

Mhothaigh Susan aisteach a bheith anseo ar feadh an deireadh seachtaine agus í ag leanúint Robert tríd na hoifigí go dtí an seomra codlata áit ar sheas sí taobh amháin.

Ag cuardach an chlóiséid roghnaigh sé trí chulaith, péire le pacáil agus ceann eile chun an gúna a bhí á chaitheamh aige a athsholáthar.

Roghnaigh sí gúna oíche gearr ar an stíl babydoll le sreangán.

Dhearbhaigh sé di nár cheart di é a chaitheamh ach istoíche sa bhaile agus go dtabharfadh sí léi é nuair a bheadh sí in éineacht léi tráthnóna Dé Domhnaigh,

Thóg sé amach freisin dhá phéire bróga.

Chuir sé chuig an seomra folctha ansin í chun roinnt cosmaidí a bhailiú agus cibé rud eile a bhí de dhíth uirthi as sin.

Thug sí leis na rudaí a bheadh de dhíth air, agus dhún sé an mála agus thug go dtí an phríomhoifig é.

"Roimh chóiriú duit, ní mór dúinn aire a thabhairt do d'oiliúint, ní mór é seo a dhéanamh gach lá más mian linn torthaí maithe a bheith againn."

Dhealraigh sí puzzled, ach lean sé go dtí a dheasc.

"Bain díot do chulaith".

Bhí sí díreach tar éis an gúna a tharraingt thar a ceann nuair a tháinig an tiománaí isteach le heochracha cairr Robert.

"Bíodh suíochán agat a John, beidh mé leat i gceann nóiméid. Ní bheidh sé seo i bhfad."

Blushed sí go domhain agus dhún a súile mar a chlaon sé í thar a deasc leathadh a cosa leathan.

Bhí a fhios aici go raibh Seán ag faire uirthi nuair a mhothaigh sí a Máistir ina cuid masa agus nuair a bhí an lube ag sileadh síos a thóin rinne sí gasp di.

Ansin cuirim an stopallán.

Bhí cuma difriúil ar an gceann seo, ní raibh sé chomh rubairithe leis an gceann eile agus é á rolladh sa lube sular bhrúigh sé i gcoinne a phoill.

Rinne sí iarracht anáil dhomhain a ghlacadh agus a scíth a ligean mar bhraith sí go raibh a matáin ag éirí as a stuaim láidir.

D'éalaigh moan óna liopaí mar a chuaigh an chuid is mó isteach inti agus dúnadh a sphincter timpeall an deireadh barrchaolaithe.

Ag oscailt a súile, bhuail sí súile dorcha Sheáin.

Bhí sé ag féachaint uirthi go géar agus mar sin chuir an cás corraitheach seo a craiceann níos mó fós nuair a chuir an teas ina chorp a bhí fonn gnéis uirthi.

"Cailín maith." Bhuail sé í. "Faigh ar do ghlúine."

Thóg sí an slabhra le cloigíní nipple óna deasc.

Bhrúigh sé go garbh gach ceann dá clúidín trí na lúba sular fáisceadh iad agus ag tarraingt ar an slabhra.

D'iompaigh a caoineadh isteach i rud éigin níos airde mar a bhuail a lámh a cófra ag déanamh tinkle go binn na cloig.

"Theastaigh uaim go bhfeicfeá an slabhra seo, a Sheáin. Táim ag ceapadh nach bhfuil aon ghá a cuid tits geala a tholgadh go fóill, mar tá spraoi ag baint leis na cloigíní seo. Téigh a thaispeáint do chuid cloigíní do Sheán, a chailín bhig."

"Tá, máistir." Murmured sí mar a líonadh an teas a aghaidh níos mó fós agus bhog sí níos gaire don tiománaí chun seasamh os a chomhair.

"Glúine le do thoil, Susan." arsa Seán go bog.

Stop sí, ag titim ar a ghlúine, agus aoibh air mar a labhair sé le Robert.

"Ó sea, gliondar siad go deas agus is cinnte go bhfeabhsóidh siad é. An féidir liom?"

"Ar ndóigh," a dúirt Robert magnanimously.

Shín John amach agus patted an dá bhrollach go réidh ag déanamh na cloigíní fáinne sular tharraing ar na siní chun iad a chroitheadh.

Giotán Susan a liopaí agus d'fhéach a súile glasa geala air.

"Tá sí i ndáiríre Robert áilleacht, agus déanann sé bródúil as tú go bhfuil sí kneeling anseo chomh maith dom."

Ag casadh a cheann beag dó, d'fheiceadh sé an meangadh leathan ar aghaidh a Mháistir agus mhothaigh sé flutter na bhféileacán te ag líonadh a bolg agus a chliabhrach mar a d'fhreagair sé:

"I ndáiríre, a chara, táim thar a bheith sásta le do chuid oiliúna an tseachtain seo. Susan Ba mhaith liom buíochas a ghabháil leat a rá le John as a chuid cabhrach ar fad an tseachtain seo, ag piocadh suas agus ag scaoileadh leat, chomh maith leis an mbéile a shocraigh sé dó. leat."

Chas sí a aghaidh i dtreo Sheáin, le meas ina leith, ós rud é go raibh sé ina fhear aosta a mheas sí go raibh sé timpeall seasca nó seasca cúig bliana d'aois.

Bhí gile ina shúile dorcha, le craiceann dorcha, dath olóige Áiseach, rud a chuir ar a aoibh gháire agus é ag féachaint uirthi.

"Go raibh míle maith agat a dhuine uasail, táimid an-bhuíoch as do chabhair."

Shín John amach chun caress a leicne agus muineál, ligean ar a lámh a rianú arís eile go dtí a cófra agus í ag labhairt.

"Tá fáilte romhat, a Susan go leor."

Blushed sí agus Robert bhraith a coileach harden ag an radharc di ar a ghlúine roimh a chara.

Ba é an chumhacht agus an smacht a aphrodisiac.

Ghéill sí go toilteanach don úsáid a bhí ró-bhrónach as a corp agus na héilimh a chuir sé ar a saol.

Anois bhrúfadh sé a teorainneacha uair dheireanach sula dtógfadh sé ar ais í go dtí an domhan fanaile don oíche.

Ag bogadh chun suíochán a ghlacadh in aice leo, labhair Robert le Susan:

"Ba mhaith liom tú a tarraing a Dick, Susan, mar luach saothair as a bheith ar glaoch ceithre huaire an chloig is fiche in aghaidh an lae an tseachtain seo. leat."

Gasped sí, a súile leathan mar a chas sí a ceann chun breathnú air, ag tabhairt faoi deara an glint ina súile agus an abairt aisteach ar a aghaidh.

Ansin d'fhéach sé ar Sheán a bhí ag miongháire air.

Fiú agus a hintinn ag screadaíl, "Níl sé seo ceart, conas a d'fhéadfadh sé a bheith ag iarraidh uirthi é seo a dhéanamh?" bhog a lámha chun a pants a dhíchnaipe.

Bhí fonn ar Sheán cheana féin, áfach, agus nuair a d'ardaigh sí a lámha dó, sheas sé suas agus dhírigh sé ar a chuid pants é féin, ag ligean dóibh titim agus iad a chiceáil, ag nochtadh coileach an-chrua agus an-mhór.

Blinked sí agus shlogtar mar a shuigh sé suas, leathadh a cosa ionas go bhféadfadh sé a fháil eatarthu.

Thug sé aon sracfhéachaint dheireanach ar a Mháistir agus an léiriú sásta ar a aghaidh.

Chlaon sé beagán agus bhog sí idir cosa Sheáin.

Agus í ar a glúine, fillte sí lámh bheag timpeall a bhall agus rolladh a teanga timpeall a chinn.

"Níl lámha," muttered sé.

Rith sí go géarchúiseach a lámha taobh thiar dá dhroim, ag leathnú a béal chun a liopaí a shíneadh thar leithead a bhall.

Bhí a teanga flickered agus iompaithe de réir mar a béal a choigeartú le méid, bhraith sí a lámha tangling ina cuid gruaige mar a thosaigh sí ag bogadh go mall a ceann suas agus síos, ag cur níos mó de dó isteach ina béal.

Bhí a lámha níos doichte agus é á threorú ag an luas a thaitin leis, mar cé go raibh a choileach leathan, ní raibh sé ró-fhada agus d'fhéadfadh sí é a thógáil isteach gan tachtadh go hiomlán.

Ba chosúil gur spreag a gagging agus a giúchadh é agus thosaigh sé ag sá lena chromáin agus é ag brú a béal síos.

Níor mhair sé i bhfad agus tar éis cúpla nóiméad eile, chrom sé os ard agus é ag brú i dtreo í go garbh.

Gurgled sí agus shlogtar, ardú a ceann go mall agus é a scaoileadh a cuid gruaige ag déanamh cinnte go raibh sé go léir cum ina bhéal.

Bhí súile Robert uirthi tar éis dó a bheith ag féachaint ar a neamhchinnte agus í ag réiteach agus ag géilleadh dó.

Fuck, a cheap sé leis féin, bhí sí ar an bhfo-nádúrtha is dochreidte a bhuail sé riamh agus bhí sí aige.

Bhí sé beagnach pianmhar nuair a bhí sé ag breathnú uirthi géilleadh dá thoil agus dá mhisneach a chara.

Mar sin nuair a tharraing sí ar ais, shín sé amach agus tharraing sé chuige lena cuid gruaige í, ag déanamh caoineadh go deas di.

Unbuttoned sé a jeans, thóg sé suas í, agus impaled sí ar a coileach.

"Mine" chrom sé ina cluas agus crith sí le cumhacht na mothúcháin agus teasa ina ghlór.

D'éirigh sé léi agus é ag impí air agus shiúil sé anonn go dtí an balla a bhí ina coinne agus é ag brú anonn is anall.

fucked sé í crua i gcoinne an bhalla mar fillte sí a cosa thart ar a cromáin.

Scread sí le gach éirim agus chroch sé a ceann siar le n-a cuid gruaige, ag tabhairt uirthi féachaint air mar a d'orduigh sé,

"Tar leat soith beag."

Screamed sí agus í ag teacht ar an chuma ar an gcéadú huair sna ceithre huaire an chloig is fiche anuas.

Thóg sé seachtain de phian agus pionós í a fuck ar deireadh agus ó thosaigh sé aréir is cosúil nach stopfadh sé choíche.

Bhí a pussy throbbing fucked agus líonadh le cum arís agus arís eile mar a d'éiligh sé í mar a chuid féin.

Bhí úinéireacht aige ar a corp, agus fuair sí amach go raibh a aigne géilleadh go nádúrtha di gach ordú.

Ag siúl go mall ar ais go dtí cathaoir agus í ag cur brú uirthi ar a choileach a bhí ag maolú cheana féin, chlaon Robert siar sa chathaoir í ag cromadh ina mhuin agus ag análú go trom.

Bhuail glór Sheáin a inchinn dhazed inscne-lámhach agus é ag labhairt:

"Tá sí ina GEM, Robert. Is fearr a chur muince thart ar a muineál tapaidh sula ghoideann duine éigin í. Caithfidh mé a sheiceáil leis an carr féachaint an bhfuil aon spares agam síos ann."

Robert gáire mar a barróg sé í.

"Is liomsa an cailín seo." Lean sé ar aghaidh tar éis nóiméad, "Táimid ag imeacht chomh luath agus a bheidh muid gléasta agus ní bheidh muid ar ais go dtí oíche Dé Domhnaigh, mar sin bain an chuid eile den deireadh seachtaine as. Cuirfidh mé glaoch ort má tá tú ag teastáil uainn Dé Luain."

Ag breathnú suas, chonaic sí go raibh Seán gléasta cheana féin agus bhí sé ag miongháire uirthi.

"Go raibh maith agat as an bónas Robert, le bónais mar sin beidh mé a bheith ina tiománaí pearsanta Susan má ligeann tú dom."

De réir mar a bhí na fir ag gáire, bhí blushed Susan.

Slán a fhágáil ag Seán leo agus deireadh seachtaine sona agus maith á ghuí acu orthu.

Nuair a bhí siad ina n-aonar, chas Robert chuig Susan:

"Chuir tú an-áthas orm, ní raibh mé in ann a bheith níos bródúil as tú. Tá sé léirithe agat go bhfuil do chách géilleadh fíor inniu. Níl aon cluichí, gan leithscéalta, ach muinín agus an fonn chun mé a shásamh. Táim an-sásta, cailín beag. Níos mó ná sásta, tá mé ecstatic".

Aoibh sí air mar féileacáin rince te líonadh a bolg.

"Go raibh maith agat, a mhúinteoir".

Agus í á ísliú go talamh, d'iarr sé uirthi dul ar a glúine agus cúpla nóiméad a thógáil chun smaoineamh ar an méid a dúirt sí leis ina hárasán.

D'fhág sé í, chuaigh go dtí an seomra folctha, agus giotán sí a liopaí.

"Dúirt sé gurb é an cinneadh a rinne sé ar an Luan. Bhí sé ag iarraidh í a choinneáil mar a sclábhaí, ach mura ndúirt sí, chiallódh sé sin a post a chailleadh freisin."

Thaistil a hintinn ar ais go dtí a cuid ama sa chuideachta agus chonaic sí go raibh sé ag claonadh go mall anois í, ag éirí níos dlúithe ina gcomhráite ag caint ar chairde, ar bhuachaill agus ar ghnéas.

Bhí sé gafa d'aon ghnó í cúig lá ó shin, dúmhál a dhéanamh uirthi tosú síos cosán na sclábhaíochta.

"Dá mbeadh sé i ndáiríre ach cúig lá? Anois bhraith sé cosúil le i bhfad níos faide i ndáiríre," mused sé.

Ghlac sí anáil dhomhain, ba chosúil gur tharla gach rud chomh gasta sin tar éis an chéad lá sin nuair a bhí an chuma air go gcuirfí pionós uirthi i gcónaí as é a ligean síos i gcónaí.

Bhí craved sí a pléisiúir ansin, agus ba dheacair taitneamh a bhaint as an cúpla uair a aoibh sé uirthi.

"Raibh mé in ann a fheiceáil go raibh sé ag baint úsáide as a riachtanas nádúrtha formheas ina choinne, is fuath léi aon duine a díomá."

Thuig sé faoi dheireadh go raibh cuspóir ag an tseachtain seo ar fad.

Cuireadh iallach uirthi glacadh leis na róil a shann sé di de réir mar a chuaigh an tseachtain ar aghaidh agus lean sí ag óstáil cruinnithe le Máistrí agus cailíní le cur in iúl di nach coincheap aisteach tabú é an sclábhaíocht agus go raibh daoine ag maireachtáil go sona sásta laistigh den stíl mhaireachtála sin.

Chuir sé tús leis an gcairdeas a bhraith sí le hÁine agus spreag sé ansin é.

Caillte ina smaointe, ní fhaca sí é ag teacht arís agus é gléasta agus ag breathnú uirthi go cúramach.

Thóg sé as a seasamh glúine í, phóg sé í.

"Is aoibhinn liom a Shiobhán thú, imigh leat anois glan agus cuir ort an chulaith a d'fhág mé sa leaba thú."

"Tá Máistir".

Rinne sí deifir go dtí an seomra folctha agus nigh sí í féin go tapa.

Ní raibh makeup caite aici inniu agus bhí an chuid is mó de pacáilte cheana féin, mar sin scuab sí amach a gcuacha agus cheangail sí a cuid gruaige isteach i gcapaillíní sula ndeachaigh sí isteach sa seomra leapa.

Ag cur air an gúna a bhí fágtha aige di, d'fhéach sí uirthi féin sa scáthán.

Cé nach raibh sé mórán difriúil leis an ngúna caite a chaith sí ina hárasán, b'fhabraic níos fearr é i gcomparáid leis agus bhí an chuma uirthi go raibh sé gearrtha chun aird a tharraingt ar a cuair nádúrtha áit a raibh crochadh ar an gceann eile cosúil le mála scaoilte.

Agus í ina suí síos chun a bróga a chur uirthi, thuig sí nach raibh cinneadh déanta aici an tseachtain seo cé na héadaí a chaithfeadh sí di féin am ar bith.

Ní raibh aon chinneadh déanta aici di féin, ní fiú an bia a d'ith sí a sholáthair sé di ar bhealaí éagsúla.

D'fhág sí an seomra agus rinne sé miongháire uirthi.

"Breathnaíonn tú go hálainn, tá gach orlach díot an cailín milis, grámhar a bhfuil do thuismitheoirí ag súil leis. Tá aird ró-fhada orainn ar maidin inniu agus caithfimid dul ar aghaidh, ach ba mhaith liom rud éigin a thabhairt duit ar dtús, mar sin glúine liom. "

Thóg sé bosca veilbhit óna dheasc agus d'oscail sé é trína iompú ina dtreo.

Bhí slabhra óir róis neadaithe istigh.

Bhí sé gearr agus álainne crafted le naisc twisted, ach an rud a thóg a anáil shiúl ná sióg an-mhionsonraithe a d'aithin sí a bhí ag crochadh corr ón slabhra san ór ardaigh céanna.

Bhí an chuma ar an sióg a bheith ar snámh ansin ag deireadh an tslabhra, ag ardú a lámha agus í i seilbh emerald glas iontach.

Bhí sí gan chaint agus ag stánadh air agus é ag tógáil amach as an gcás agus ag cur timpeall a scornach go cúramach é, agus é á choinneáil ina áit.

Bhí sé oiriúnach daingean amhail is dá mbeadh sé déanta go háirithe di agus bhog a mhéara go dtí an faerie mothú a castacht íogair.

"Tá sí go halainn." D'anáil sí isteach tar éis di anáil a choinneáil ar feadh tamaill. "Go raibh maith agat a Mhúinteoir".

"Is tusa an ceann álainn, mo cheann beag." caressed sé a leiceann agus aoibh ag taispeáint a sástachta. "Anois ní mór dúinn dul sula dtiocfaidh mé suas le húsáidí eile ar do shon."

Sheas siad suas, thóg sé a mhála agus a chuid eochracha agus thug sé le fios go dtógann sé mála cáipéisí níos lú agus nach raibh tuairisc air agus chuaigh siad síos go dtí a charr.

San ardaitheoir, ghlaoigh a fón.

D'fhéach sé agus thug sé di é agus chonaic sí gurbh í a máthair í.

"Tóg é." Dúirt Robert, "Sábhálfaidh sé seo glaoch orm chun a chur in iúl dóibh go mbeidh muid déanach."

"Dia duit mamaí," d'fhreagair sí a glao agus sheol a máthair isteach i dirade láithreach faoi fhoireann lónadóireachta agus garraíodóirí dúr.

D'aontaigh Susan leis agus murmur sí ag gach nóiméad ceart.

Idir an dá linn, bhí sí sa charr cheana féin, agus Robert ag tiomáint as baile ar an mhórbhealaigh.

"Mo chulaith? Ní hea, níor roghnaigh mé an ceann a raibh mé ag smaoineamh air." Chuir Susan scaoll ar a Máistir.

"Inis dó go bhfuil sé iontas." muttered sé. "Iarr air dul isteach sa bhaile duit agus confetti spleodrach a fháil duit a éireoidh go maith le do chulaith.

"I ndáiríre mamaí, an cuimhin leat go siopa speisialtachta beag suas an cnoc? Bhí sé beartaithe agam ar stopadh ansin agus a fháil ar roinnt péint choirp glittery nó roinnt confetti ar an mbealach abhaile, chun dul le mo chulaith. , an bhféadfá teacht anall ann agus é a fháil dom, le do thoil? Mar sin thiocfadh liom abhaile níos luaithe, dá bhféadfá fabhar a dhéanamh dom."

"Cad é smaoineamh maith," a d'fhreagair a máthair. "Cinnte, mar sin d'fhéadfadh liom a fháil mé féin rud éigin freisin!"

Labhair a mháthair faoina gcuid cultacha iontacha agus chomh amaideach a d'fhéach a athair ina chuid.

Chuaigh sé ar aghaidh ar feadh leathuaire níos mó faoi na haíonna agus na daoine nach raibh in ann teacht.

"Mam, is dóigh liom go bhfuil muid ag dul isteach i mbearna clúdaigh mar go bhfuil an fón ag cailleadh comhartha."

"Ceart go leor, mil. Agus abair le Robert tiomáint go sábháilte. Feicfidh mé thú i gceann cúpla uair an chloig, ní féidir liom fanacht chun tú a fheiceáil. Tá an chuma ar an scéal go deo ó d'fhág tú an baile."

"Ba mhaith liom freisin tú a fheiceáil, mamaí, fheiceann tú go luath."

Susan crochadh suas miongháire.

Bhí a máthair an rud a thabharfadh daoine áirithe féin-cinnte air, ach bhí sí ag tnúth go mór lena fheiceáil.

Chuir sí a suaimhneas isteach sa suíochán bog leathair agus an carr ag dul ar aghaidh síos an mhórbhealaigh.

Ba iontach an blas a bhí ag a Mháistir sa cheol agus chrom sé ar na hamhráin a bhí socraithe aige a sheinm agus iad ag tiomáint go ciúin compordach.

Dúnadh a súile, thit sí ina codladh mar an carr sped síos an mhórbhealaigh agus i gceannas i dtreo an foothills intíre.

Aoibh sé mar chodail sí chomh síochánta.

Níor thug sí ach fíorbheagán ama neamhfhónaimh dó an tseachtain seo agus é ag obair chun a radharc domhanda agus a ról ina shaol a athrú.

Chinn Robert ligean di codladh, mar is beag codladh a thiocfadh léi dá mbainfeadh sé a sprioc amach.

D'oibrigh a hintinn ar a pleananna don chuid eile den deireadh seachtaine agus lig sí di féin smaoineamh ar an todhchaí agus ar an searmanas collaí a bhí ag teastáil sa chlub lena sábháilteacht a chinntiú ansin.

"Beidh a fhios ag gach duine cé leis tú mo Susy." Cogar sé léi agus í ina codladh.

Thiomáin sé tríd an mbaile beag deireanach sula ndeachaigh sé go dtí an ceann ina raibh cónaí ar a chlann agus stop sé ar shráid chiúin timpeall cúig nóiméad déag óna theach.

"Múscail Suzy."

Chlaon sé síos agus bhain sé léi leic de réir mar a leathnaigh a súile agus d'amharc sí áit a raibh sé.

"Ó, tá brón orm, níor theastaigh uaim ach mo shúile a dhúnadh ar feadh nóiméid."

"Bhí scíth ag teastáil uait." Aoibh sé uirthi agus chlaon sé isteach chun í a phógadh go domhain, go sealbhach. "Agus ná déan dearmad, fiú mura bhfuil mé leat an deireadh seachtaine ar fad, is liomsa tú."

"Tá, máistir." Léirigh a aghaidh a néaróg agus a fiacla gafa ina liopa bun.

Ísliú strapaí a gúna, nocht sé í agus yanked ar an slabhra.

"Caithfidh sé seo imeacht sula ndéanann tú barróg ar do thuismitheoirí."

Chlaon sé isteach chun í a phógadh agus é ag magadh an tslabhra saor, ag balbhú a fuaim whimpering agus ag caoineadh ina dhiaidh sin le póg.

Bhí an dúil a bhí aige as a cuid chomh láidir gur lingered a póg agus a lámha caressed go réidh a síní bog.

Mhéadaigh an t-análú a bhí uirthi agus é ag déanamh imní di agus chlaon sé ina coinne.

Ach thóg sé anáil dhomhain.

"Mura bhfaighidh mé abhaile anois thú, b'fhéidir go mbeidh uaireanta ann sula ndéanfaimid é. Tá tú ag cathú orm, a sclábhaí beag."

Aoibh sí ar a chuid focal, mothú an teas ina gaze, amhail is dá bhféadfadh sé a devour di.

Rinne sé bhraitheann sí chomh sexy agus theastaigh leis an cuma.

Thapaigh sé an deis í a phógadh uair dheireanach agus tharraing sé an carr ar ais ar an mbóthar.

Bhí sí neirbhíseach agus imníoch nuair a tháinig radhairc aithnidiúla chun solais agus d'iompaigh siad isteach ar an tsráid a lean a teach.

Shocraigh sé air, chuir sé a lámh ar a sliasaid,

"Ná bíodh imní ort, beidh gach rud go breá, bain sult as an am le do mháthair sula dtosaíonn an cóisir. Tá roinnt iontas socraithe agam don bheirt agaibh."

Bhreathnaigh sí air leis na súile leathan.

"Iontaobhas dom, mo Susy."

AN CHÓISIR

Stad an carr os comhair an gheata agus tháinig a máthair amach as an teach chun beannú dóibh.

"Susan, cad a thóg chomh fada leat? Bhí mé ag fanacht agus ag fanacht. Níl aon smaoineamh agat cad a bhí na daoine seo ag cur orm!"

"Ó mama," aoibh Susan agus í ag éirí as an gcarr. "Cinnte ní féidir leis a bheith chomh dona sin."

Rug a máthair uirthi agus thug barróg teann uirthi.

"Tá áthas orm go bhfuil tú sa bhaile," a dúirt sí Susan ar neamhthuilleamaí, suirbhéireacht uirthi ó cheann go ladhar , a súile measúnú criticiúil a hiníon .

"Breathnaíonn tú difriúil. Geall liom go bhfuil sé mar go bhfuil tú sásta a bheith sa bhaile. An gúna nua é? Lig dom breathnú go maith ort."

"Fág léi féin í, a Chaitrí . Níor tháinig sí isteach sa teach go fóill fiú "

Bhí glór athar Susan lán an-áthas agus é ag teacht aníos taobh thiar den bhean bheag ón teach agus barróg a chur ar a iníon.

"Cad é mar atá tú, a Shiúáin? Insíonn do mháthair dom go bhfuil Robert ag cur ró-chrua ort ag obair. Déan cinnte go bhfuil spraoi agat anocht."

"Go raibh maith agat," a dúirt sí agus sí barróg ar ais air. "Ach, a dhaid, cuir síos mé," a gáire sí agus é ag tógáil den talamh í. "Is ar éigean a bhí am agam smaoineamh dom féin an tseachtain seo. Agus tá mé ag súil go mór leis an gcóisir."

D'íslidh sé í agus shiúil sé timpeall an chairr.

"Go raibh maith agat as í a tharraingt suas, a Robert. An féidir leat fanacht tamall agus féachaint conas atá gach rud sa chúl?" ar seisean agus é ag croitheadh a láimhe.

"Cinnte. Lig dom Dia duit a rá le Caty ar dtús", phóg Robert máthair Susan ar an leiceann. "Is maith thú a fheiceáil, a Chaitín , tá tú chomh hálainn agus a bhí riamh."

Chas sé le Pól.

"Lig dom rudaí Susan a fháil amach as an gcarr."

Ag oscailt an trunc, tharraing sí amach a mála agus bosca mór maisithe.

Thug sé ar láimh do Susan é le gáire agus murmur:

"Ná oscail do choinne éadaí go dtí anocht, a Susy."

"Sea, Mm... Robert," a dúirt sí agus aoibh gháire sé ar a míchompord ag baint úsáide as a ainm anseo.

Chas sé le Pól.

"Tá súil agam go bhfuil gach rud ar ais ansin mar a d'ordaigh muid."

Caty an mála ó Susan.

"Come on Susy, lig do na fir leanúint ar aghaidh ag ligean orthu féin gurb iad tiarnaí an Ard-Mhéara. Is féidir leat do chuid rudaí a chur ar shiúl níos déanaí. Cuidigh liom ar dtús lón a ullmhú. Caithfidh ocras a bheith ort tar éis tiomáint fhada ón gcathair."

Chaith Susan an chéad leathuair eile sa chistin cluthar lena máthair ag magadh uirthi mar gheall ar na gearáin leanúnacha ar labhair sí leo níos luaithe.

Rinne a máthair a súile a rolladh, ach d'admhaigh sí nach raibh sé ró-olc tar éis an turraing tosaigh ó tháinig siad agus díphacáil siad, móide torann an phuball ag dul suas.

"Is é an droch-rud," a dúirt sí, ag breathnú brónach, "ná gur ghlac siad an bia go léir a chaith mé an tseachtain ar fad ag ullmhú, a dhéanamh a fhios ag Dia cad. Agus ar maidin ar fad níor lig d'athair dom labhairt leo, agus níor lig d'iarr sé orm ar chlé gan faic a dhéanamh le bheith ann ag eagrú rudaí".

Ní fhéadfadh Susan ach rud amháin a shamhlú a chuirfeadh bac ar a máthair níos mó ná gach rud a dhéanamh, agus níl aon rud á déanamh aici.

"Tá gach duine chomh rúnda. Ní ligfidh d'athair cúnamh dom. Agus ní inseoidh tú dom faoi do cheilt," d'fhéach sé ar an mbosca a bhí fós ar bhinse cistine. "Níl a fhios agam cad a dhéanfaidh mé liom féin.

Ní raibh mé in ann fiú mo charr a fháil amach do mo choinne gruaige ar maidin, agus mar sin beidh mé ag breathnú cosúil le praiseach anocht," a dúirt sí caoineadh.

Thug Susan barróg dá máthair.

"Tá a fhios agat uaireanta go gcaithfidh tú muinín a bheith agat go n-oibreoidh gach rud amach. Plus, tá mé anseo faoi láthair agus is féidir liom cabhrú leat le do chuid gruaige. Ní fhéadfá breathnú cosúil le praiseach. Ba mhaith le Daid ach é a bheith ina oíche iontach do Tá sé cúig bliana is fiche, bainis. " Agus is cosúil go bhfuil sé ag baint suilt as a bheith i gceannas inniu. Ní féidir leat é a dhéanamh i gcónaí, a Mhamaí. Tá a fhios agam gur mhaith leat níos mó a dhéanamh, ach lig do Dhaid é seo a dhéanamh Cuir muinín ann. Geall liom go bhfuil sé socraithe go léir . Lig do scíth agus bain taitneamh as."

"Fuaimeanna sé go léir cosúil le comhairle iontach." Bhí glór a Máistir taobh thiar di, rud a chuir iontas uirthi.

Lean Pól é agus d'fhéach sé timpeall.

Cad atá le haghaidh lóin? Tá ocras an domhain orm".

Le linn an lóin, labhair gach duine go jovially.

Chuir a tuismitheoirí in iúl dá chéile go raibh siad pósta le cúig bliana is fiche agus b'fhéidir gurbh é an t-am anois é a athrú.

Rinne a mháthair gáire:

"D'fhéadfainn a bheith ar cheann de na mná sin a fhaigheann buachaill óg."

Chuala siad carr ag tarraingt suas ar an tiomáint gairbhéil, agus Robert aoibh.

"Sin é an t-iontas a bheidh agam ar do bheirt chailíní."

Léim sé aníos óna shuíochán agus d'imigh sé as doras na cistine ar bís.

Sheas Pól suas le tosú ag glanadh na miasa lóin agus d'fhéach Caty air.

"Fág é. Déanfaimid é."

"Ní dóigh liom go bhfuil am agat anois, a ghrá."

Phóg sé í ar an forehead mar a rith sé.

"Cad atá ar siúl anois? An bhfuil tú i ar seo, Susan?" a dúirt sí ag caolú a súile amhrasach.

"Ná breathnaigh ormsa mar sin, a Mhamaí! Tá mé gan clue mar atá tú."

Nóiméad ina dhiaidh sin, d'fhill Robert, agus ceathrar ban óg ina dhiaidh.

"Tá sé mo bhronntanas a Pól," aoibh sé go forleathan.

Caty dearg agus thosaigh sí ag béicíl ar Robert, agus Paul ag gáire os ard.

"Thug mé cabhair chun tú a dhéanamh ar an Banríon is áille de Hearts. Caty , abair hello le do fhoireann makeup agus wardrobe. Ba chóir dóibh pamper tú féin agus Susan tráthnóna. Beidh siad a thabhairt fiú Paul scuab suas más mian leat, ach is dóigh liom. tá sé ag dul a bheith ina Níl".

"An é sin an fáth ar pháirceáil siad an veain lónadóireachta sin taobh thiar de mo charr ar maidin, ionas nach raibh mé in ann mo chuid gruaige a dhéanamh?" Chaith Caty tuáille ar Phól, agus é ag iarraidh stop a chur ag gáire.

"Sea, a stór, ná troid os comhair Susan," a dúirt sé.

Rinne Susan aoibh ar a tuismitheoirí.

Ní fhaca sí iad ag argóint i ndáiríre, cé go raibh sí cinnte go ndearna siad ó am go chéile, ach de ghnáth d'úsáid a hathair na focail chéanna: "Anois a ghrá, ná troid i os comhair Susan" agus ghlac a máthair leis agus aon díospóid mionaoiseach. bheadh críochnaithe i nóiméad.

Chuir Robert isteach ar a smaointe.

Susy, cén fáth nach dtógann tú na cailíní agus a thaispeáint dóibh cá bhfuil siad in ann a gcuid rudaí a chur? Lig do na héin ghrá póg agus déan suas."

"Tá M... Ó sea, lean mise." Rinne sí miongháire ar na cailíní agus í ag titim amach arís faoi cad ba cheart a thabhairt air.

A beagnach uathoibríoch "Tá, Máistir", froze ar a liopaí.

Bhí seomra suí beag ag a tuismitheoirí in aice lena seomra leapa a d'oscail isteach ar bhalcóin mór ar an dara hurlár den teach mór, bhí sé éadrom agus aerúil agus bheadh sé foirfe dóibh.

Phioc Susan a bosca feisteas ag mothú an meáchan agus thosaigh sí ag siúl chun tosaigh ar na cailíní.

"A Dhia, tá sé chomh trom. An bhfuair tú armúr éigin dom?" smaoinigh.

Chuir fiosracht uirthi an bosca a chroith, chuala sí a scornach soiléir dó agus d'fhéach sé suas.

u0026quot;Déan é sin go réidh, mo Susy, tá sé íogair.

Smirked sé uirthi agus sé taitneamh as mar a d'fhéach sí timpeall le súile leathan.

Shíl sé go dtuigfeadh sí sa deireadh nach dtuigfeadh aon duine na himpleachtaí a bhain leis an nglaotar a thug sé uirthi, ach bhí sé go hálainn í a fheiceáil beagán blush.

Lean a mháthair iad tamall ina dhiaidh sin:

"Ní ligfidh d'athair amaideach dom na miasa a dhéanamh fiú. Deir sé gur banríon mé inniu."

Bhí sí ag iarraidh a bheith feargach leis, ach d'fhéadfadh Susan a rá cé chomh sásta agus a bhí sí leis an gcóireáil speisialta seo.

"Ó maith," arsa duine de na cailíní, "tugann sé sin níos mó ama dúinn leat. Is mise Maggie, seo Lia , Nicky agus Joana." Bhí meangadh gáire ar gach cailín nuair a chuir Maggie in aithne iad .

Chroith a máthair méar orthu agus go géar, magadh, dúirt:

"Nách leomh tú, a bhean óg! Tá sé olc go leor gur díbríodh as mo chistin mé. Má dhéanann tú bainfidh mé do cheann díot."

Ní raibh Susan in ann cabhrú leis, rinne sí gáire nuair a chonaic sí a máthair bheag ag luascadh a méar.

"Ceart go leor, Caty ansin. Cad faoi cithfholcadh deas te a oscailt suas do phiocháin agus ansin suathaireacht fada álainn, sula dtosaímid ar do chuid gruaige? Tá sé socraithe cheana féin."

Ag tógáil a lámh agus ag siúl i dtreo an seomra folctha, chuaigh Maggie i ngleic le Robert agus ansin chas sí le Caty , "Tá rud éigin an-mhaith ar intinn agam do do chuid gruaige."

"Tá mé ag dul ag siúl le um... Robert, beidh mé a ghlacadh cithfholcadh ina dhiaidh sin freisin, Mam. Beidh mé ar ais go luath."

"Ceart go leor a leanbh, ná tóg ró-fhada." Chas Caty le Maggie, "An dóigh leat i ndáiríre gur féidir leat rud éigin a dhéanamh faoin praiseach seo?" Chuir sí glas de ghruaig dhonn dorcha timpeall ar a méar bheag.

"Susa, fág do chulaith le Nicky. Tá treoracha aici maidir le conas ba chóir duit é a chaitheamh," a dúirt Robert agus Susan ag piocadh suas a mála, ag féachaint suas air agus é gan choinne. "Iontaobhas dom, ceann beag."

Susan ar an doras seomra folctha a bhí díreach dúnta ag Maggie agus chrom sí.

Ansin d'iompair sí a mála go dtí a seomra agus Robert ag leanúint gar taobh thiar de.

Chaith sí an mála isteach ar a leaba, agus ag casadh ar fhágáil bhí sé ag cur bac ar a cosán agus í ag breathnú thart ar sheomra leapa a hóige.

Rinne sé miongháire uirthi, agus é ag tabhairt faoi deara go raibh baint ag baint leis an éirí amach i measc maisiúcháin bhándearga agus bhána a hóige a chuir a máthair ar fáil don seomra.

Shiúil sé anonn agus d'oscail sé a closet.

"Ah, tá sé anseo. Bhí mé wondering má bhí tú riamh dhéagóir, "gáire Robert.

Clúdaíodh an taobh istigh de na doirse closet i grianghraif de chairde, póstaeir, agus greamáin.

Chuir boscaí dramh-bhosca bruscair ar urlár an chlóiséid mar aon le slipéir caite amach agus sála cáisiúla.

Shiúil sí anonn chun na doirse a dhúnadh, ag blushing go domhain.

"Tá Mamaí an-phiocach faoin gcaoi a bhreathnaíonn an teach," murmured sé.

"A leithéid de cailín maith, ceart?" Chuaigh sé ar ais go dtí an doras. "Glacfaidh tú le moltaí uile na gcailíní faoi do chuid gruaige, makeup, agus wardrobe. Tá treoracha mionsonraithe tugtha agam do Nicky maidir le conas ba chóir duit breathnú."

"Tá Máistir," a dúirt sé.

"Cailín maith. Anois téigh go dtí an cith. Ní gá duit siúl go dtí an doras mé, agus beidh mé ar ais go luath anocht."

"Sea, Máistir," ar éigean a bhí a ghuth níos mó ná cogar.

"Ó, agus is féidir leat glaoch orm Robert anseo más rud é go raibh tú buartha faoi thar lón."

"Go raibh maith agat mmm...Robert," shiúil sí fós thar a ainm.

Aoibh sé agus nuzzled a leicne go héadrom nuair a ghlaoigh Pól ó bhun an staighre.

"Ní mór dom lámh síos ann."

"Téigh." Thiontaigh Robert beagán chun labhairt léi "Tá mé ag fágáil na cailíní anois agus ag éirí as an mbealach sula n-iompaíonn siad isteach i banphrionsa na cúirte mé. Beidh mé síos i gceann nóiméid."

Níor fhág a shúile a aghaidh nuair a bhí sé in éineacht lena hathair, agus ag ísliú a cheann, phóg sé í go tapa.

"Bí i do chailín maith agus déan mar a deirtear leat mar ní dhéanfaidh cailíní ach mo mhianta a chur in iúl. Feicfidh mé thú mar shióg ríocht na síscéalta anocht. " Phóg sé í arís ag caoineadh "Mine", sular tharraing sé ar shiúl go tobann.

D'eitil an tráthnóna.

Bhí sí nite, suathaireachta, lámhdhéanta, agus péinteáilte in éineacht lena máthair.

Bhí exclaimed ag a mháthair arís agus arís eile faoin só nó só sin.

Maidir léi féin, ghlac Susan lena chinntí go léir trí insint do Nicky díreach ón tús:

"Tá a fhios agat cén chuma atá ar mo chulaith. Déan an rud is fearr leat."

Bhí sí tar éis cloí leis an slabhra a thug sé di níos luaithe tráthnóna.

Ar deireadh d'aithin sí an sióg mar leagan an-fhásta den charachtar Disney Tinkerbell a raibh grá aici mar leanbh agus aoibh uirthi.

Chuimhnigh sé go raibh sé ag iarraidh eitilt agus gortaíodh é nuair a léim sé as boird agus cathaoireacha agus é ag úsáid sciatháin bheaga.

Tháinig Robert ar ais chun cúram a ghlacadh ar na hullmhúcháin sa ghairdín.

Chuaigh Pól isteach leis agus é ag ullmhú gach rud.

Bhí Susan agus a máthair ina suí ar an mbalcóin le chéile agus luí na gréine ag druidim linn, agus chuala Susan go raibh imní ar a máthair faoin méid a bhí déanta acu lena gcuid bia agus na maisiúcháin nach bhfaca sí fós nuair a chuala siad glór a hathar:

"Táimid chun an méid atá fágtha a d'fhág tú a ithe ar feadh seachtainí a fhios agat," a dúirt a athair gáire as an doras. "Tá sé in am gléasta, a ghrá," a thug sí amach a lámh do Cháit . "Thug Nicky an feisteas chuig do sheomra, a Shiobhán. Téigh."

Chuaigh sí go dtí a seomra agus aoibh ar Nicky.

"Ar deireadh, is féidir liom é a fheiceáil."

"Ó, nach bhfaca tú é? Tá sé fíorálainn. Imigh leat, tá neart againn chun tú a ghléasadh."

Thóg sí an t-éadach glas úll as an mbosca mar a scaoil Susan a gúna.

Ní raibh aon rud thíos léi, rud a chuir iontas uirthi féin chomh héasca agus a bhí sí lomnocht le ceithre huaire fichead anuas os comhair strainséirí.

Nuair a chuaigh sí isteach sa rud a cheap sí a bhí de chineál éigin leotard lánfhad, thug sí faoi deara an fheadóg chasta a bhí á chaitheamh aici agus nuair a d'ardaigh sí suas é agus shleamhnaigh isteach ina áit é, thug sí faoi deara go raibh ceangail cóirséadóireachta fuaite isteach sa bodice.

Shleamhnaigh sí isteach é agus strap ghualainn amháin claonta thar a gualainn.

Ghlac sí anáil domhain mar a dhún sí forcefully na crúcaí agus suímh, agus blushed beagán mar a ionramháil Nicky a breasts playful i bhfeidhm ag tabhairt scoilteachta níos mó ná mar is gnách di.

Ansin tarraingíodh sciorta beag a bhí déanta as meascán d'fhabraicí geala glasa feirbthe agus roinnt fabraicí bróidnithe le cuma dhuilleoga suas thar aon chromán amháin agus greamaíodh é ina áit.

Ansin bhog sé go dtí an pluide agus cromáin eile agus cheangail sé go daingean arís.

Thug mé bróga satin glas úll beag di dá cosa.

Cheangail sé slabhraí órga ansin le cloigíní beaga cruanacha agus fágann sé go dtí a chaol na láimhe agus a rúitíní sular dhustáil sé gach orlach nochta dá craiceann le gliondar breá órga.

"Tá tú beagnach déanta, Tinkerbell."

Thóg Nicky an slabhra sióg a thug Robert dó níos luaithe agus cheangail sé slabhra breise de dhuilleoga cruanacha air sular chuir sé timpeall a mhuineál é agus chuaigh sé ar ais.

"Téigh breathnú ar an scáthán agus mé a ghlacadh do sciatháin."

Sheas sé os comhair a scáthán agus í ag gabháil lena sciatháin íogaire, álainne , a bhí cosúil le sciatháin bheaga féileacán.

Bhí a fhráma airgid inleagtha le scannán trédhearcach chun go mbeadh cuma air mar fhuinneoga beaga gloine dhaite.

Dhaingnigh Nicky iad i gcoinne a droma.

"Wow," sighed sí.

Bhí Susan thar barr agus cé go raibh sí sásta a thaispeáint dá tuismitheoirí ar dtús, ba é an rud a bhí uaithi i ndáiríre ná aoibh gháire a Máistir a fheiceáil agus taitneamh a bhaint as an bhfeisteas a roghnaigh sé di.

Thuig sí nach amháin go raibh sé ag teastáil uaithi, ach go raibh sé de dhíth uirthi, agus tháinig na smaointe sin ar a hintinn agus í ag leanúint Nicky ar ais go seomra a tuismitheoirí.

"A Phóil, tá ár Tinc beag ar ais! A bhabaí tá cuma iontach ort. Cuimhnigh nuair a bhí tú beag ní raibh tú ag iarraidh a bheith riamh ná Tink agus féach ort anois."

Bhí fearg ar athair Susan.

"Breathnaíonn tú go hálainn, ach tá sé rud beag ag nochtadh, a Susy. Nach bhfuil tú fuar? Ní páirtí linn snámha é."

"Féach cé atá ag caint," d'fhreagair Susan go leicne, "Conas a labhair Mamaí leat faoi stocaí a chaitheamh?"

u0026quot;Ó stoptar suas tú dhá. Féach tú an dá iontach, ach ní chomh maith liomsa, "gáire a máthair agus iompú gracefully.

" Susy, tar thíos staighre agus féach an bhfuil gach rud réidh ag Robert do do mháthair sula gcuirfidh sé scold orm arís." a d'fhiafraigh a hathair.

"Cinnte daid." Bhreathnaigh sí ar a máthair, "Breathnaíonn tú chomh hálainn, a Mhamaí. Smaoineamh an-mhaith a bhí ann."

Rith sí beagnach amach as an seomra, sceitimíní ar a Máistir chun í a fheiceáil.

An raibh sé mícheart a cheadú a iarraidh chomh dian sin? smaoinigh sé agus ghiotán a liopa níos ísle stop a siúl.

Bheadh an chuma ar gach rud faoi seo an tseachtain seo caite an-mhícheart dó.

Bhí na línte idir ceart agus mícheart doiléir di anois agus ní raibh a fhios aici cén pointe a bhí sí ag aththarraingt na línte sin.

Chuaigh a smaointe ó áit amháin go háit eile, agus de réir mar a chuaigh sí amach as doras na cistine, bhuail a anáil.

Bhí an clós folctha i lasadh te na milliún soilse sióga ag teannadh ó na crainn agus ar crochadh ó na cuaillí.

Lean cosán chuig puball ollmhór, agus lean sí é go dtí an bealach isteach.

Ag breathnú taobh istigh, bhí sí ró-thógtha.

Ar na taobhanna bhí fabraicí saibhir a bhí ceangailte le dara painéil, a roinneadh an puball ina limistéir bheaga lasmuigh le toilg agus cathaoireacha compordacha.

Sa lár, socraíodh táblaí beaga thart ar an urlár rince lárnach, agus dhá ríchathaoireacha ag breathnú orthu ag bord ar feadh dhá cheann.

Go deimhin, bhí sé cosúil le ríocht scéal fairy agus bhí iontas uirthi nuair a mhothaigh sí a lámh ag sleamhnú síos a gualainn agus a lámh.

"Dia duit mo Tinker Bell. An maith leat do chulaith?"

"Ó sea". A shúile a bhí súilíneach agus é ag breathnú thart roimh whispering, "Máistir."

Thug sé meangadh leathan di agus mhothaigh sí an teas go léir a líonadh a boilg leis na féileacáin aithnidiúla a thug an fear seo di.

"Níos tábhachtaí fós, an maith leat é?" d'iarr sí go ciúin.

"Bhuel lig dom a fheiceáil," aoibh sé, "Cas timpeall dom."

Thóg sé roinnt ama chun í a mhéadú agus í ag súil lena léine bhán ruffled, é gléasta i mbratanna agus i mbrógaí, ag fiafraí de an raibh níos mó dá chulaith nach raibh le feiceáil láithreach, nuair a labhair sé faoi dheireadh.

"An-gleoite agus oireann sé duit go foirfe."

Aoibh sí air.

"Ba mhaith le Daid a fháil amach an bhfuil gach rud réidh ionas gur féidir leis ligean dó teacht chuig mamaí, is dóigh liom go bhfuil sé ag tabhairt am deacair di."

Rinne Robert gáire:

"Cinnte, osclóidh mé roinnt champagne. Croch ort nóiméad agus rachaidh mé leat ar ais go dtí an teach."

Chuir sé air cóta saibhir bróidnithe agus hata trí cheathrú.

Bhí cufa muinchille seaicéid amháin dubh, agus duán airgid ag lasadh os cionn a láimhe.

"A Hook" a dúirt sí.

"Sea, sa scéal ceapaim go n-éiríonn leis Tinker Bell beag a chur i gcliabhán órga. B'fhéidir go bhfaighidh sé greim ort, a dhuine bhig.

Is smaoineamh maith é caighean duit anois." Rinne sé aoibh gháire agus í ag breathnú thart arís ag tabhairt faoi deara an fhoireann lónadóireachta i bhfad níos discréideach. "Tar, a ligean ar thabhairt ar an Seaimpíní lovebirds."

Ghlac sí tráidire spéaclaí agus buidéal ó fhoireann an bheáir, lean sí isteach sa chistin é agus chuir sí ar bhinse iad, ag glaoch síos an staighre dá tuismitheoirí.

"Nuair a bhíonn tú réidh, Paul."

Bhuail sé go crua í agus í ag filleadh ar an mbinse agus aoibh an gháire uirthi.

"Dorresistible my little..." d'imigh sé as mar a tháinig a thuismitheoirí thíos staighre agus thug sé gloine de Champagne do gach duine.

Bhí áthas glan ar a mháthair nuair a chonaic sí an t-athrú ar a gclós.

D'fhéach sí trí gach rud go cúramach ag lorg locht beag ionas go bhféadfadh sí a rá gur chóir dóibh cabhrú léi, ach ní raibh sí in ann teacht ar aon cheann.

Ina suí ar a ríchathaoir, rinne sí suirbhé ar an puball agus sighed.

"Go raibh míle maith agat Robert, tá a fhios agam nach bhféadfadh Paul é a dhéanamh gan do chabhair", ag casadh ar a fear céile, aoibh sí "Agus gheobhaidh sé buíochas níos déanaí."

"Rud amháin eile chun mo ghrá a thaispeáint duit," a thóg sé ar láimh í agus threoraigh í go dtí an taobh eile den teach agus Susan á leanúint go aisteach.

Bhí dhá shraith pubaill ann.

"Fanfaidh roinnt daoine ionas nach mbeidh orthu an turas fada a dhéanamh abhaile, agus tá lánúin anseo cheana féin. "

Tháinig hullabaloo ansin nuair a tháinig Snow White agus Prince Meallacach amach as an bpuball agus d'éirigh a máthair agus rith sí chun barróg a chur orthu.

D'aithin Susan a haintín agus a uncail a bhí ina gcónaí san Iodáil le cúig bliana déag anuas. blianta

Tar éis do rudaí suaimhniú tar éis barróg mhór, phógadh agus deora, chas Susan chuig a hathair.

"WOW, a Dhaid! Conas a d'éirigh leat é seo go léir?"

Shiúil siad go léir i dtreo an puball mar a chuir a athair lámh ar a ghualainn.

Aoibh sé.

"Bhí cabhair agam, ach rinne mé go maith, huh?"

"Sea, daid. Rinne tú go han-mhaith."

Thar na huaire an chloig eile, doirt daoine isteach ar luas seasta, an Champagne ag sileadh ó ghloine go gloine.

aíonna ní hamháin ón gcathair féin, ach freisin ó phríomhchathair an stáit agus stáit eile go dtí an baile beag agus chuig a mbaile.

Bhí Susan barróg agus phógadh ag daoine ar éigean a raibh aithne aici orthu ach a dhearbhaigh di go raibh aithne acu uirthi.

Ar deireadh, bhris sí saor ón slua agus rinne sí a bealach go dtí ceann ciúin den phuball chun a anáil a ghlacadh.

Ina suí ar tolg bog i gceann de na patios ar thaobh amháin den phuball, chonaic sí a Máistir ag druidim léi le Peter Pan agus Wendy.

"Tá tú Tinker Bell. Ní raibh mé ach ag rá le Peter agus Wendy go bhféadfaidís eitilt dá dtiocfaimis ar thú a chroith le deannach pixie."

Rinne sí gáire agus d'fhéach sí ar an mbeirt, ag aithint Wendy mar Carla, a bhean chéile, agus a shrugged.

Ag seasamh suas chun beannú dóibh, blushed sí beagán.

Míthuiscint na blush, labhair Carla go cineálta:

"Ní bheidh muid croith i ndáiríre mil tú. Is é seo mo pháirtí Vicky." Dúirt sí agus í ag tógáil lámh Vicky, "Sílim ar deireadh go bhfuil mé chun an seanchóip seo nach dtagann abhaile choíche a cholscaradh." Chrom sé Robert sna easnacha mar a dúirt sé é. "Vicky, is é seo Susan, iníon ár n-óstach."

Phléasc Susan:

"Wow, ciallóidh mé, is deas bualadh leat, Vicky," a dúirt Susan, ró-iontas leis an bhfógra.

"Tabhair aire do Vicky ar feadh nóiméad, Susan. Robert, taispeáin dom áit a bhfuil na leithris i bhfolach, ní mór go mbeadh ceann thart anseo áit éigin," agus thóg sí a lámh mar a shiúil siad ar shiúl.

Labhair siad beagán faoina saol, cailín deas a bhí in Vicky le figiúr sách cruinn agus bhí sí an-neirbhíseach a bheith anseo le daoine a raibh aithne acu ar Robert agus Carla mar a páirtí.

"Tá an oiread sin daoine anseo is dócha nach dtabharfaidh aon duine faoi deara mura n-insíonn Carla gach rud dóibh. Is cosúil go bhfuil sí an-sásta a bheith in éineacht leat," dhearbhaigh Susan léi.

"Ó, tá muid araon chomh sásta," aoibh Vicky, "Is breá liom í. Tá sí iontach!"

D'fhéach sí suas nuair a chonaic sí go raibh Robert agus Carla ag siúl ar ais chucu ag gáire go suairc.

"An bhféadfainn é sin a rá dá bhfanfainn leis?" ar seisean, "Ar aithin máistrí agus sclábhaithe grá riamh? Is dócha go mbainfeadh sé úsáid as na focail adhradh agus deabhóid. B'é sin grá, nach ea? B'fhéidir?"

Bhí a chuid fiacla gafa ar a liopaí arís agus giotán sí go tuisceanach é.

Chas sé go Vicky agus aoibh.

"Tá mé thar a bheith sásta duit. Ba chóir go mbeadh grá den sórt sin ag gach duine ina saol. Tá Carla ar ais, mar sin gabh mo leithscéal, feicfidh mé tú níos déanaí."

Bhí brón an domhain ar Susan nach raibh sí in ann an cineál sin ruda rómánsúla a dhéanamh sa ríocht síscéalta seo agus theastaigh uaithi a bheith ar shiúl ón bhfear a raibh sí ag iarraidh lámh a choinneáil leis, agus fios aici nár thaitin sé leis.

Is minic a stop daoine í agus í ag déanamh a bealach tríd an slua chun beannú agus comhrá a dhéanamh, agus mar sin rinne sí miongháire agus sní tríd na daoine sa phuball plódaithe agus go mall rinne sí a bealach go dtí an taobh eile den chlós.

Ar deireadh teacht ar roinnt spáis, d'fhéach sí thart agus a súile leathnaithe i scaoll.

"Harry."

Theith sí i dtreo dó.

"Cac Harry, cad atá ar siúl agat anseo? Nach bhfuil tú ar thuras surfála le do chairde? Ní hea, ar ndóigh mura bhfuil tú anseo. Cén fáth?"

"WOW Susan, tá cuma iontach ort," chlaon sé isteach chun í a phógadh agus chuir sí a leiceann ar a cheann.

"Cén fáth a bhfuil tú anseo?" d'iarr sí arís.

"D'fhág mé teachtaireacht chugat agus sheol mé téacs chugat. Níor fhreagair tú. Dúirt tú liom, cuimhnigh?" Anois bhí fearg air agus ag féachaint uirthi mar go raibh sí dúr.

A Dhia, cheap sé. "Níor thug mé freagra ar do theachtaireacht," d'iompaigh a smaointe dorcha.

Bhí a fhios aici nach raibh sé seo chun oibriú amach.

"An bhfuil gach rud ceart go leor, a Susie?" Robert feiceáil sa slua.

"Cac, cac, cac!" bhí a aigne ag sníomh "Conas a d'fhéadfainn a bheith chomh dúr?"

Chuir sé ceist uirthi arís agus í ag cur leisce uirthi.

"Susy?"

"Ceart go leor, níor shíl mé go raibh Harry ag teacht. Dúirt mé le mo thuismitheoirí nach raibh sé ag teacht, mar sin níl suíochán aige ..." Bhailigh sí a smaointe agus ghlac sí anáil dhomhain, "Robert, is é seo Harry."

Chroith siad lámha mar a dúirt Robert:

"Feicim. Bhuel, anois go bhfuil sé anseo, ba mhaith leis fanacht níos fearr. Is féidir linn duga dó ag ceann de na táblaí ar ais, tá mé cinnte go bhfuil seomra thar ann, teacht liom, Harry, agus beidh muid ag socrú a láthair. ar do shon."

Labhair Robert le húdarás agus níor thug sé aon rogha do Harry ach é a leanúint isteach sa bheár agus de réir mar a seirbheáladh beoir do Harry shocraigh Robert go mbeadh roinnt suíocháin ann.

Ag casadh uirthi agus é ag caint arís le grúpa daoine, chlaon Robert isteach le cogar ina cluas:

"Ná bíodh imní ort, muinín dom."

Dúirt Louder:

"Tá Anne á lorg agat. Tháinig sí féin agus Alan timpeall fiche nóiméad ó shin."

"Really, tá Anne anseo?" Bhreathnaigh sí timpeall go sceitimíneach, sásta cara léi a bheith anseo anocht. "

" "Sea, i ndáiríre, cén fáth go mbeadh mé bréag?" Robert gáire ag a excitement. "Sílim go ndeachaigh siad a n-urramú a íoc leis an rí agus banríon. Beidh mé ag dul a aimsiú dóibh ionas gur féidir leat fanacht anseo, beag Tinker Bell. Don ' t dul."

Chlaon sí a ceann.

"Sea, um...Robert."

"Cailín maith, tabhair aire dá Harry."

Bhreathnaigh sé ar Robert dul tríd an bpuball plódaithe agus Harry ag cur a lámh timpeall a ghuaillí go leisciúil.

Shrugged sí, ag tarraingt ar shiúl ó dó .

"An bhféadfá deoch a fháil dom, a Harry, b'fhéidir Seaimpín?"

"Tá an barra ceart ann." Dúirt sí ag pointeáil agus gan bogadh i dtreo.

Rollta sí a súile agus shiúil i dtreo an mbarra léi féin.

Tar éis seachtain de bheith ag tabhairt aire agus cúram di, chuir easpa béasa Harry isteach uirthi.

"Tá Robert ceart." Shíl. "Ní hé an ceann domsa, níl sé i ndáiríre."

Nuair a d'fhill sé lena dheoch, chonaic sé Anne agus Alan agus gáire sona sásta nuair a chonaic sé iad.

Bhí pants ró-ard ag Alan le crochóga agus cluasa fada coinín bán, agus bhí Anne ina diva sultry cumhdaithe dearg, Jessica, agus Roger Rabbit .

Thug sé faoi deara go raibh teanga Harry beagnach lolling as a bhéal mar a d'fhéach sé ar Anne, ach bhí súile Robert uirthi.

"Shíl mé go ndúirt mé leat gan dul amach arís, Tink," bhí ciumhais chrua le guth Robert agus winced sí ag an ton.

"Bhí deoch ag teastáil uaim. D'iarr mé ar Harry é a thabhairt dom, ach dhírigh sé ar an mbarra," a mhínigh sé.

"WOW, sin drochbhéasa, Harry. Ní dhiúltaíonn daoine uaisle d'iarratais den sórt sin. Dhéanfadh Anne neamhaird dom an chuid eile den oíche dá ndéanfainn é sin." A dúirt Alan go sona sásta.

Bhí an tuiscint mhaith ag Harry cuma náire a chur air mar a dúirt Anne:

"Agus ná déan dearmad air."

"Deoch eile daor?" Ailean gáire.

"Go raibh maith agat, a dhuine uasail cineálta," d'fhreagair Anne.

"Come on Harry, taispeánfaidh mé duit conas a dhéantar é." Rug sé ar lámh Harry agus thug sé go dtí an barra é.

Anne gáire go sona sásta agus barróg Susan.

"Féach ar tú Campa-Susan. Breathnaíonn tú iontach!"

"Dia Anne, tá do gúna cosúil le craiceann dara. WOW!"

"Cad é, an rud d'aois? Bhí mé díreach tar éis é a chrochadh i closet sa teach." Winked sí agus gáire amach os ard. "Shocraigh Robert cuireadh nóiméad deireanach dúinn. Is cóisir é seo go deimhin. An dtaispeánfaidh tú timpeall dom ar ball?"

"Cinnte, tá mé chomh sásta go bhfuil tú anseo Anne. Tá mé i ndáiríre."

Tháinig níos mó Seaimpín ar Alan agus Harry agus chuir siad spéaclaí na gcailíní ina n-áit, ag tabhairt na seanchinn do na freastalaithe a bhí ag dul thart.

"Ní fheicim aon rud sean faoin bhfeisteas sin, agus scórálann sé pointí duit níos déanaí anocht má tá a fhios agat cad atá i gceist agam." Alan winked agus Anne rollta a súile.

D'fhuadaigh gong agus tugadh cuireadh do gach duine suíochán a ghlacadh.

D'imigh Robert chun cabhrú le Harry a bhord a aimsiú agus dúirt leis teacht ar Carla agus Vicky san áit a raibh an bord is gaire dá dtuismitheoirí socraithe.

Leagadh amach plátaí antipasto ag boird féinfhreastail de réir mar a d'ardaigh a dtuismitheoirí chun labhairt leis an ngrúpa.

Ghlan Pól a scornach agus thosaigh sé ag gabháil buíochais le gach duine as teacht, lena chara Robert as a chuidiú le heagrú an chóisir, lena iníon álainn Tinkerbell, agus ar deireadh ag caint faoin ngrá a bhí aige don bhean a d'fhulaing é le cúig bliana is fiche.

Bhí súile deora ar a mháthair agus phóg sí é go paiseanta le go bhfeicfeadh gach duine é.

Chas sí leis an slua.

Labhair sí faoin ádh a bhí uirthi teaghlach agus cairde iontacha a bheith aici agus cé chomh buíoch agus a bhí sí gur éirigh le gach duine a bheith anseo leo anocht.

"Cruinniú den sórt sin, ní ba mhaith liom a shíl is féidir." Phóg sé Paul arís ag rá "Anois ith, ith! Tá neart ann do gach duine, bain taitneamh as!"

Bhí comhrá an dinnéir bríomhar agus a haintín agus a uncail ag insint scéalta na hIodáile dóibh agus ag tabhairt cuireadh do Susan teacht aon uair ba mhian léi.

Ina dhiaidh sin, d'inis sí dó faoin seachmall a bhí uirthi gur theastaigh uaithi i gcónaí iontais na tíre agus áilleacht na tuaithe a raibh an oiread sin cloiste aici óna tuismitheoirí a fheiceáil.

Nuair a bhí na príomhchúrsaí críochnaithe, thosaigh na haíonna ag bogadh idir na boird chun comhrá a dhéanamh le daoine éagsúla.

D'éirigh Susan as a suíochán do chara dá cuid uncailí agus d'fhéach sí thart féachaint Anne ag siúl i dtreo.

"Susan, taispeáin dom cá bhfuil seomra do chailín i bhfolach agat, le do thoil." Anne aoibh.

D'ardaigh Robert freisin a shuíochán a fhágáil agus dúirt:

"Tá spraoi agat cailíní," agus i gceannas i dtreo an treo a bhí Anne teacht ó.

Agus iad ag iompú chun dul isteach sa teach, stop Susan chun Carla a thabhairt isteach.

"Ó Anne, ar bhuail tú le Carla agus Vicky? Is cairde Robert ag obair iad Carla, Anne agus a bpáirtí."

Sheas Carla suas agus aoibh uirthi.

"Níor thug Robert agus mé féin cuairt ar na ciorcail chéanna le blianta anuas. Is deas bualadh leat, a Áine. Tá an gúna sin go hiontach!"

"Go raibh maith agat Carla, is lánúin iontach tú féin agus Peter Pan. Tógfaidh mé Susan anois chun a cuid rudaí a thaispeáint dom, ach beidh mé ar ais chun comhrá a dhéanamh leat, nó teacht ar cuairt ar ár mbord tar éis an mhilseog." Spreag sí í.

"Tá a fhios agat ó bhuail tú mo stuif ar an taobh amuigh, a ligean ar dul taobh istigh den teach. " Susan gáire agus stiúir Anne tríd an doras na cistine go dtí an seomra folctha thíos staighre.

Nuair a tháinig Anne isteach, chlaon Susan in aghaidh an bhalla agus dhún sí a súile.

Bhí an champagne ag rith go hard, cheap sé go mbeadh sé níos fearr níos mó uisce a ól nuair a tháinig sé ar ais.

Nuair a d'oscail sí a súile, bhí Robert ann ag féachaint uirthi.

Reoite sí.

"Is cosúil go gcaithfimid labhairt, a cheann beag."

Shiúil sé i dtreo léi lena súile go ciúin fánaíocht an tí.

D'oscail doras an seomra folctha agus tháinig Anne amach.

"Caithfidh mé labhairt le Susan, a Anne. Cas ar chlé amach as an gcistin , lean ort agus gheobhaidh tú do bhealach ar ais."

Níor fhág a súile aghaidh Susan riamh agus é ag labhairt léi, agus mhothaigh sí go raibh a cuisle ag luascadh.

Ní raibh sí cinnte cad a theastaigh uaithi a rá, cé gur thuig sí gurbh é Harry a bhí ann agus chuir sí gliondar uirthi féin arís as a bheith chomh dúr.

D'fhéadfadh Anne an teannas a mhothú ó Robert agus ag tabhairt suaimhnis do Susan, d'fhág sí ina haonar iad.

Thiomáin sé í chun tosaigh air síos an staighre agus isteach ina sheomra.

Ag tógáil péitseog mhór as a phóca, dúirt sé "Oscail do bhéal" agus greamaithe idir a fhiacla é.

"Bite, ach ní go dtí an deireadh."

Bhreathnaigh sé uirthi agus í ag géilleadh di.

"A chailín mhaith, coinnigh ansin anois é. Lean ar aghaidh agus cuir do lámha ar an leaba le do chosa ar fad óna chéile."

Ardaithe na duilleoga a sciorta, rug sé an creatlach a chlúdaigh taobh thiar di agus yanked go crua chun a mionbhrístíní a tharraingt síos agus a masa a nochtadh.

Moaned sí go bog ar fud an phéitseog.

Bhog sé go dtí an mála a bhí pacáilte aige agus thóg amach crios beag leathair mná.

Chuir an chéad lash den chrios iontas uirthi agus ba bheag nár scaoil sí amach an phéitseog nuair a bhí a shriek báite aige.

"Ba é an fáth nár inis dom faoi theachtaireachtaí Harry."

Chas sé arís í.

"Ós rud é nach bhfuil muinín agam go leor chun déileáil le do láithreacht anseo"

Rug an crios air don tríú huair.

"Agus do dhátú Guy den sórt sin sotalach."

Rianaigh a mhéara fad na línte dearga, géara a d'fhág sé uirthi sular stop sí arís é.

"Agus mar is cosúil go bhfuil mo sclábhaí cosúil le slut te mar sin anois tá mé ag luí na buile."

Agus é ag spalpadh ina diaidh, bhí a fhios aige nár bhuail sé a dhóthain í chun fíorphian a chur uirthi nó chun í a dhéanamh, ach a dhóthain chun í a théamh agus a chur i gcuimhne di an ceannas a bhí aige uirthi.

Ag tarraingt an éadach as a anas, tharraing sé isteach é mar thóg sí anáil domhain.

"Rud deireanach amháin".

Chuir sé cuma tampon isteach ina pussy. go raibh sé fliuch óna taispeáint ceannas thar a.

"Má tá mé míchompordach anocht, beidh tú a bheith freisin. Is féidir leat suí suas."

Fós a bhfuil an phéitseog, dúirt sé, "Oscail do bhéal."

sí é agus thóg sé uaithi é agus chuir ar ais ina phóca é.

As an bpóca eile thóg sé cianrialtán agus tháinig mothúcháin thaitneamhacha ar a chuimhne:

"Ceart go leor, cuimhin leat, a ligean ar iarracht é, ceart?"

Flicked sé an lasc uair amháin agus mar sin thosaigh tonnchrith íseal laistigh di a thug uirthi gasp agus léim beagán.

Aoibh sé.

"Just a álainn" agus caressed a leiceann. "An rachaimid ar ais chuig an gcóisir anois?"

"Sea, Máistir," a dúirt sé.

D'fhág siad an teach agus thrasnaigh siad an clós go dtí an puball.

Thug Robert Susan chuig na táblaí cúil áit a raibh Harry ag suirí thar barr le ceann de na cailíní a bhí mar chuid den fhoireann gruaige agus makeup, chuimhnigh Lia ar a hainm.

"Cá bhfuil an ifreann agat?" Bhí Harry beagnach ag caoineadh Susan agus thuig sí go raibh sé ar meisce.

"B'fhéidir gur chóir duit an cheist sin a athfhrású sula gcabhróidh mé leat do bhéasa Harry a aimsiú," bhí guth Robert socair agus tomhaiste, ach d'fhéach sé go suntasach ar Alan a bhí ina shuí ag an gcéad tábla eile.

"Cad atá cearr seanfhear?" Dúirt Harry go fonnmhar, "Is féidir liom labhairt le mo chailín cibé rud is mian liom."

"Is aoi gan chuireadh thú a ólann alcól saor in aisce agus a itheann bia saor in aisce agus ní mór duit meas a léiriú ar na daoine a chuireann é sin ar fad ar fáil duit, Harrycito . Trácht amháin eile mar sin agus cabhróimid leat teacht ar na nósanna sin ."

"Tú féin agus roinnt eile," sheas Harry suas go neamhsheasmhach nuair a chuir Alan lámh ar a ghualainn.

"Is cosúil go ndéanann tú dearmad, Harrycito , go bhfuil tú thar a bheith líonmhar anseo. Is cairde nó teaghlach an lánúin shona muid, níl tusa, ag an nóiméad seo."

Bhí cúpla fear ó na boird in aice láimhe tar éis éirí chomh maith agus bhí Susan scanraithe faoin gcaoi a raibh Harry á iompar.

"An bhfuil tú chun seasamh ann mar soith balbh agus a rá faic?" Spat Harry ar Susan. "Tá mé léi, tá mé cuireadh."

"Bhí tú ag spraoi le do chairde, go dtí gur tháinig tú anseo, sin an méid a dúirt tú," shos sí chun anáil a ghlacadh, "Agus ag cur san áireamh go raibh tú groping Lia ceart anois, ní dóigh liom go gceapann tú gur féidir leat muinín dom . ar ais chugat." ar sise go suaimhneach, "Ní bheadh daoine ró-shásta dá gceapfaidís go raibh buachaill cromáin agam."

"Soith dúr," thosaigh Harry, ach ghearr Alan é as.

"Imigh leat a chara. Ní féidir leat an cath seo a bhuachan. Tá an iomarca againn agus má deir tú focal amháin eile le Susan," a dúirt Alan go ciúin, "titfidh mé ar an talamh thú mar a bheadh saic prátaí agus fiú . ní shábhálfaidh sin thú ón rud a dhéanfaidh an t-aois sin duit níos déanaí".

Tháinig beirt fhear borrtha ón bhfoireann:

"Imigh leat, a mhic. Rachaimid ag siúl."

"Má chuireann tú isteach orm, táimid déanta Susan," hissed sé go bagarthach in ainneoin a staid.

"Tá," d'aontaigh sí, "Táimid críochnaithe. Téigh abhaile, Harry."

Na fir burly chun cinn mar a thosaigh sé arís.

"Beidh aiféala ort faoi seo, a leathcheann..."

Alan é ansin agus thit Harry go talamh.

Rug na fir ar a lámha agus d'ardaigh siad é.

Bhí Susan mortified agus iompú chun breathnú ar na daoine ag breathnú ó táblaí in aice láimhe.

"Tá brón orm, gach duine. Tar ar ais go dtí an chóisir, spraoi a bheith agat, le do thoil."

Bhí a hathair le feiceáil ar a taobh, mar a thuaslagadh sí i Tears.

"Tá brón orm daidí, scrios mé do chóisir iontach."

"Ná bíodh amaideach ort, a Shiúáin. Rinne tú mo lá riamh. Níor thaitin an greann sin liom riamh. Tá sé in am agat é a fhágáil." Thug sé barróg di, "Tar liom anois", chuir sé í ar a cúl. "Pógann gach banphrionsa cúpla frog sula n-aimsíonn sí an Prionsa frog." Leig sí í féin agus thóg sé a lámh uirthi. "Lig dúinn do mháthair a aimsiú. Beidh sí ar buile má fhágann muid as aon dráma í. Tá a fhios agat conas atá sí."

Caty súil amháin ar aghaidh deora Susan agus chuaigh sí isteach i mód banríona iomlán na drámaíochta.

"A iníon bhocht! An rud uafásach a tharla anocht! Ná bí buartha, a iníon," tharraing sí chuici Susan, "Déanfaimid é a dhéanamh i gceart in aon am."

Sheol sí Paul chun Nicky a aimsiú agus a insint dó a feisteas makeup a fháil agus cuireadh an cara Robert.

Thug sí Susan isteach sa chistin agus rinne sí do ciarsúir go dtí gur tháinig Nicky agus Anne isteach.

"An bhfaca tú guys cad a tharla? Paul Faigheann riamh go leor scéalta."

"Chonaic mé é," d'iarr Anne uirthi go deonach a insint di nuair a d'oscail Nicky a mháipéis agus thosaigh sé ag deisiú an makeup damáiste.

Níor fhág Anne rud ar bith taobh thiar de ag cur an radharc iomlán focal ar aghaidh.

"An gigolo beag sarcastic. Tá áthas orm gur dúirt tú leis fuck as, mar mura bhfuil mé swear ..." a dúirt Caty san Iodáilis, a bhfuil bioráin rollta ina lámha amhail is dá mba rud é go raibh sí chun bualadh le duine éigin.

"Máthair!" Admoned Susan.

D'fhiafraigh Anne go himníoch:

"Cad dubhairt sí , cad dubhairt sí?"

D'fhéach Susan ar a máthair.

"Tá a fhios agat go bhfuil mionnú agus mionnú fós mícheart fiú san Iodáilis," a dúirt Anne, agus í ag gáire níos deacra fós ag an abairt ar aghaidh Caty .

"Cad é mar sin? Is é mo chóisir é agus mionnóidh mé más mian liom, mionnóidh mé más mian liom ..."

Thosaigh sí ag canadh an amhráin 'This Is My Party' agus rolladh Susan ina súile.

Ag an nóiméad sin chuaigh Robert agus Paul isteach le fíon dearg agus spéaclaí.

"Caithfidh tú cur isteach uirthi go luath, a Dhaid. Déanann sí mionn as Iodáilis agus canann sí sean-amhráin bhuille."

"Ooh mil" aoibh sé agus thug a bhean chéile chun rince ar fud na cistine.

"Caithfidh tú beirt éan grá dul amach. Tá daoine ag fanacht ar mhilseog." Rinne Robert gáire agus rinne Paul rince amach le Caty trí dhoras na cistine.

Dhún Nicky a mhála cáipéisí.

"Maith mar nua." Aoibh sí ar Susan, "Sílim go raibh sé asshole freisin," ansin d'éirigh agus chuaigh ar ais go dtí an chóisir.

D'fhéach Susan ar Robert agus Anne, "Tá brón orm mar sin."

"Ah mil, ná bíodh, chuir an chuid is mó cailíní cosúil linne an dáta ar thugs agus assholes sula bhfuaireamar an stíl mhaireachtála a thaitníonn linn. Tá líne bhreá idir ceannasaíocht agus ceannasaíocht, asshole agus a..." Aoibh sí ar Robert ag déanamh difríochta anois. "Ní hea, mil".

Chlaon Susan agus d'fhéach sé ar Robert, a bhí ag féachaint uirthi go géar.

"A Anne, ar mhaith leat an radharc a fheiceáil ón mbalcóin thuas staighre? Níl mé ag iarraidh dul ar ais ansin go fóill." D'iarr Susan.

Robert Chroith a cheann imperceptibly ag Anne.

"An féidir linn dul i ndiaidh mil mhilse? Níl a fhios agam ach mura dtiocfaidh mé ar ais beidh mo chuid féin ithte ag Alan agus beidh orm teacht agus mise a ghoid chun ligean dó é a dhéanamh."

Susan gáire.

"Ceart go leor, aistrímid áiteanna díreach do mhilseog ionas gur féidir liom a chinntiú go bhfaighidh tú do cheannsa agus is féidir liom buíochas a ghabháil le Alan as a shiombaltacht."

"Is maith liom sin." Anne aoibh agus tharraing í chun a cosa. "Come on Tinkerbell, a ligean ar eitilt."

Lean Robert iad amach an doras agus ar ais chuig an gcóisir.

Ní raibh aon amhras uirthi ach go gcuirfeadh Alan suas í agus go ndéanfadh sí gáire, agus mar sin thug sí Anne chuig a bord, ag ligean do Susan dul ina haonar go dtí gur thuig sí nach raibh aon imní ar dhuine ar bith faoi Harry.

Bhreathnaigh Alan uirthi agus é ina shuí in aice léi.

"Bhuel Dia duit Tink. Shábháil mé tú an trioblóid buíochas a ghabháil liom trí ithe dhá mhilseog mar luach saothair," aoibh sé. "Is obair chrua a bheith i do laoch agus sin go léir. Agus bhí a fhios agam go gcloífeá leis."

Rinne Susan gáire go suairc agus é ag caint chomh dian sin nach raibh aon bhealach ann go bhféadfadh sí an meangadh gáire a choinneáil as a héadan.

"Is tú mo laoch go deimhin, Alan, agus mar sin tá fáilte romhat chuig mo mhilseog freisin, ach ar an drochuair tá Áine ann ag ithe mo chuid féin agus muid ag labhairt."

Paul le feiceáil ar a n-bord.

"Rinne do mháthair milseog speisialta duit Susy. Chuir sí orm teacht anseo chun é a thabhairt duit nuair a thaispeáin Anne suas ar do shuíochán."

Thóg sí amach pláta macarúin sútha talún deas bándearg agus leag sí ar an mbord é.

Chroith sé lámh Alan.

"Go raibh maith agat as aire a thabhairt do mo chailín beag roimhe seo."

"Ó, tá luach saothair á fháil agam, geallaim duit gur gheall Susan a milseog dom agus tá cuma iontach air as seo!" Tharraing Alan an pláta chuige ag miongháire cosúil le buachaill scoile agus chuir sé níos mó gáire as Susan.

Aoibh Paul ag gáire Susan.

"Tá a fhios agat, sílim go gcuirfidh do mhamaí abhaile chugat le bosca den chíste seo freisin. Sílim go ndearna sí na céadta an tseachtain seo caite."

" Susan, fanfaidh mé leo siúd ar mo dheasc Dé Luain le caife."

Rinne Alan gruaim le greim bándearg ina bhéal agus an uair seo rinne Pól gáire léi.

"Tar ag rince le do shean-athair daor. Ní fheiceann muid thú minic go leor a thuilleadh."

Thóg sé a lámh agus thug ar ais í go dtí os comhair an tseomra agus ar an urlár rince.

Bhí lucht leanúna ag a thuismitheoirí ar mhórbhailéid rac-cheoil na '70idí agus The Bhí Eagles ag seinm ó na cainteoirí faoi láthair agus iad ag déanamh a mbealach chuig an urlár rince.

Lean Alan iad, ag cur an pláta macaróin os comhair Anne, ag fógairt:

"Sin é mo luach saothair as Susan a shábháil, ná lig d'aon duine iad a ghoid." Agus chuaigh sé i dteagmháil le Caty ag tairiscint damhsa di le gáire, "Chuala mé go bhfuil tú ag casadh i Beast."

Chaith sé a malaí fúithi agus chrom sí uirthi agus é ag tarraingt ar an urlár rince í.

Chuaigh Susan tríd an urlár rince trí amhrán amháin i ndiaidh a chéile, ar deireadh chríochnaigh suas i armas Maestro.

An nóiméad a chuir sé a lámha timpeall uirthi, thosaigh an buzzing taobh istigh di arís agus gasped sí, a súile leathan.

Chlaon sí isteach air ag mothú a lámha aithnidiúla anois uirthi agus dhún sí a súile ar feadh nóiméad agus Boston ag súgradh sa chúlra.

Bhí a aigne ag sníomh agus í ag oscailt a súile agus ag gabháil do na daoine timpeall uirthi.

Bhí siad ag rince an-ghar, ró-ghar, ach choinnigh sé daingean í agus rinne an buzz taobh istigh di scamall aigne le ceint agus é ag sníomh go mall thart ar an urlár rince agus chlaon sé síos le cogar ina cluas.

"Is breá liom tú, mo Tinkerbell beag."

Bhí an t-análú ag dul in airde nuair a choinnigh sé gar di agus d'ardaigh blush ar a leicne.

D'fhéach sí suas air agus aoibh sé a fhios aici míchompord agus teas laistigh den slua.

An sásamh ina súile mar i gcónaí a líonadh le teas.

a tuismitheoirí anuas uirthi ar an urlár rince agus sheas sí ar shiúl ó Robert beagán, ach rinne sé greim níos doichte uirthi.

"Féachann tú te," yelled a máthair, "Tóg í amach le haghaidh roinnt uisce agus roinnt aer úr, Robert."

"Ba mhaith liom go mór roinnt uisce fuar a ól," admhaigh Susan agus a tuismitheoirí ag rince.

"Tá beagán te agus annoying?" rinne sé aoibh uirthi.

Chlaon sí, a súile ag taitneamh.

"Maith". a dúirt sé agus stop an buzzing go tobann.

Agus í á threorú chuig an mbarra, thug sé gloine oighir agus uisce di, agus shiúil siad le chéile i dtreo ceann de na alcaves compordacha timpeall imeall an phubail.

Bhí an cóisir ag tosú ag teacht chun deiridh agus bhí daoine a raibh turas fada abhaile acu ag tosú ag imeacht.

"Oíche iontach a bhí ann. Rinne Daid jab iontach. Ní fhaca mé Mam chomh suaimhneach ag ceann dá cóisirí. Go raibh maith agat as cabhrú."

Chas sí chun aghaidh a thabhairt air, ag tabhairt faoi deara cuma aisteach ina shúile.

Rug sé ar a lámh ansin agus tharraing sé taobh thiar dó í agus é ag siúl amach as an bpríomhphuball isteach sa dorchadas.

Screeched sí agus rith ina dhiaidh.

Phinn sé í i gcoinne an taobh eile den chrann, as radharc na n-aíonna páirtí, agus chlaon sé isteach chun póg di go domhain.

"Mine," murmured sé mar a phóg sé í arís.

Thosaigh an buzzing arís agus arís eile níos déine agus a lámha tarraingthe ag an bodice a barr go dtí go dúnadh a mhéara thart ar a siní, casadh garbh iad.

A póg stifled sí moans mar cráite sé í.

Thóg sé céim siar ag baint a sheaicéad agus é a chur thar a ghualainn agus a sciatháin sular bhrúigh sé ar ais í, ag ithe a bhéal arís.

Bhog a mhéara síos a corp, scuabadh a culaith leataobh.

Phin sé agus chas sé a clit go dtí gur tháinig crith ar a cosa agus scrúdaigh sé taobh istigh di lena lámh eile ag tarraingt an tampón amach aisti agus isteach ina phóca.

Nuair a scaoil sé a pants, d'ardaigh sé í agus é ag clúdach a chosa timpeall a cromáin agus isteach í.

A bhéal dúnta thar a cuid, stealing a cries pléisiúir.

Tháinig teannas aníos ón lá fada le chéile chun iad a dhéanamh horny agus teacht go tapa tar éis cúpla nóiméad.

"Ní féidir liom mo dhóthain a fháil uait, mo shoithín beag."

Bhí sí ag análú go dian agus é ag magadh uaidh.

Bhreathnaigh sí air le súile buartha.

"Inis dom cad atá ar do cheann beag deas sin, a Shiobhán."

Bhí a aigne sníofa arís agus giotán sí a liopa.

Peed sé thar imeall an chrainn.

"Má fhanann mé leat, beidh muid i gcónaí rúnda mar seo agus ní bheidh muid cosúil leo. Cosúil le lánúin, lámha a shealbhú agus a phógadh ann."

"Cén fáth nach mbeadh muid?"

"Bhuel, tá tú pósta ar dtús."

"Ní ar feadh i bhfad níos faide."

"Tá sé sin fíor, ach mura n-aimsigh Carla duine, bheadh tú fós."

"Ní má d'aontaigh tú a bheith liom ar an Luan. Dúirt mé leat riamh go raibh mé cúis colscartha roimh, ach ní raibh mé ag iarraidh a sclábhaí mar is féidir liom, go dtí anois." Stop sé ag cuardach a súl, "Ba mhaith liom a thaispeáint don domhan fanaile gur liomsa tú, ach caithfidh tú ar dtús glacadh le mo shaol eile, mar is é sin an fíor mise. Beidh mé i do Mháistir ar dtús. An chuid eile." Waved sé a lámh timpeall "Beidh sé mar a bhíonn sé i gcónaí. Féach ar Alan agus Anne. An ngníomhaíonn siad cosúil le Máistir agus sclábhaí anseo? Níl, ach tá a fhios aici fós a áit, cathain agus cén áit a bhfuil sé tábhachtach. Ón méid atá ar eolas againn, tá go leor de na lánúineacha a bhfuil a fhios againn go bhfuil stíl mhaireachtála difriúil acu taobh thiar de dhoirse dúnta."

D'fhéach sé isteach ina súile.

"Táim dian, crua, brónach agus mé ag baint úsáide as tú, ach is aoibheann liom tú freisin, tá grá agam duit, agus beidh mé i gcónaí ag tabhairt aire duit agus ag éisteacht leat. Má thugtar an chumhacht dom do domhan a rialú agus a smachtú, ciallaíonn sé go mbeidh do imní orm. féin agus tabharfaidh mé aire dóibh. " ar do shon. Dúirt tú liom nuair a thosaigh do thuismitheoirí ag pleanáil an chóisir seo go raibh tú buartha faoi obsessions na banríona drámaíochta do mháthar. Bhuail mé le d'athair agus chruthaigh mé é seo."

Stop sé chun ligean di a focail dul isteach.

"An ndearna tú é seo go léir dom?" a dúirt sí.

"Níl." Dúirt sé, "Rinne mé é seo domsa. Bhí níos mó ama ag teastáil uaim leat. Ní raibh mé ag iarraidh go mbeadh tú ag taisteal anseo agus ansiúd gach deireadh seachtaine nó ag tógáil am saor chun nerves do mháthar a mhaolú. Ba tábhachtaí fós an méid a tharla an tseachtain seo ar fad ó shin. éiríonn rudaí go maith anseo. Is bastard leithleasach mé, a chailín bhig, agus níor theastaigh uaim thú a roinnt le duine ar bith an tseachtain seo nó máthair a bhí buailte liom a chur amú." Rinne sé aoibh gháire uirthi, "Dá bhféadfainn glaoch ar Mother Nature chun cabhrú liom, chuirfinn an cóisir seo ar athló. Chuir tú áthas orm thar gach ionchas an tseachtain seo. Táim chomh bródúil asat, a sclábhaí beag foirfe."

Leáigh sí faoin aoibh gháire sin agus a hintinn ag spochadh as a chuid focal.

Ní raibh sí cinnte an nglacfadh sí buíochas leis nó go mbeadh sí as a meabhair leis as cur isteach ar a saol agus ar shaol a thuismitheoirí.

Bhreathnaigh sí timpeall an chrainn arís agus chonaic sí cé chomh sásta agus a bhí siad sa phuball agus cé chomh draíochtúil a bhí sé.

An t-aon rud a chuaigh mícheart anocht ná do locht, a Harry. chided sí í féin arís.

Agus í á shealbhú ag an muineál, bhrúigh sé go dian í in aghaidh an chrainn agus phóg í go domhain, go possessively, agus le déine a rinne chroith a cosa sular scaoileadh sé í.

"Tá tú mianach Susy. Tá a fhios agat go bhfuil sé fíor." lig mé di dul. "Tá súil agam go mbreathnaíonn daoine suas chugat agus is cosúil go gcaithfidh mé mo pants a athrú toisc go bhfuil tú chomh te fliuch soith is atá tú. Roinnfidh mé thú le gach duine anocht, ach amárach beidh tú i d'aonar liom arís."

"Tá, máistir." Giotán sí a liopa, "An bhféadfainn é seo a úsáid?"

Thug sí greim ar an scairf ar a cóta, a culaith fós ar an taobh agus d'fhéadfadh sí an cum a mhothú ar a pluide.

Aoibh sé amhail is dá mba ag breithniú a hiarrata agus blushed sí go domhain.

Cé gur thóg sé naipcín mór as a phóca agus an tampon a bhain sé amach.

Ghread sí ar ais agus é ag glanadh suas í agus ag cur a bhréagán isteach arís.

Ag cur a chulaith ar ais ina áit, aoibh sé,

"Gach níos fearr do anois."

Thóg sé a lámh agus thosaigh ag siúl ar ais go dtí an chóisir.

Bhí daoine ag magadh agus ag comhrá go hard sna ceantair amuigh agus iad ag druidim, agus níor lig sé as a lámh go dtí nach raibh siad ach cúpla troigh ar shiúl.

"Caithfidh mé dul ag glanadh suas, a shoithí bhig," a dúirt sé léi agus chas sé ag siúl i dtreo an tí.

Anne tháinig níos gaire agus aoibh.

"Bhí gnéas agat!" dúirt sé idir gáirí, "Agus ná bréag dom, tugaim faoi deara i gcónaí."

Susan blushed.

"Anna! Tá mo thuismitheoirí ann."

"Cad mar sin?" ar seisean, "geall liom gur mhaith leo coiníní."

"Ní íomhá a theastaíonn uaim i mo cheann, go raibh maith agat Anne," gáire Susan.

"Bhuel, caithfimid buidéal fíona eile agus sábháil do mham ó Alan. Tá sé fós ag iarraidh a chur ina luí uirthi go bhfuil sé ar fáil nuair a fhágann sí Pól le bheith ina beithíoch."

Rinne Susan gáire go sona sásta.

"Ní mór dom dul go dtí an seomra folctha i ndáiríre ar dtús. Téann tú, beidh mé ag teacht suas i beagán."

Rinne sí deifir timpeall an phuball go dtí an áit a raibh na folcadáin amuigh feicthe aici.

"Wow," a cheap sí agus í ag dul isteach sa limistéar restroom den siopa, "tá sé seo níos deise ná mar a shamhlaigh mé."

Ag maolú tuáille páipéir, chuir sí í féin faoi ghlas i gciúbán, ghlan sí í féin mar ab fhearr a d'fhéadfadh sí, agus dhírigh sí a cuid feisteas amach.

Ar a bealach amach, thóg sí a cuid ama ag déanamh a bealach ar ais go dtí an puball.

Níor fhan ach líon beag daoine, a bhformhór ina suí sna limistéir tolg beaga in aice le limistéar an bheáir, áit a raibh stáisiún caife bunaithe acu freisin.

Shiúil Susan anonn agus chuaigh sí síos ar tolg in aice lena tuismitheoirí agus lena cairde.

D'fhéach Alan uirthi agus chlaon sé ar aghaidh.

"Tar anseo, Tinkerbell."

D'éirigh sí tuirseach agus shiúil anonn chuige.

bhrúigh sé síos í chun suí ar a glúine agus aoibh síos uirthi.

"Ó, faighim é," a dúirt Susan agus í ag cur a chluasa ar a smig, "Anois don Nollaig ba mhaith liom Daidí na Nollag..." phléasc gach duine ag gáire agus bhí Alan míshásta go raibh sé ag milleadh a chuid spraoi.

"Tabhair dom na cluasa sin ar ais cailín cheeky, tá tú cinnte ar an liosta dána anois."

Tháinig Robert agus d'ardaigh sé mala ina treo.

"Bhí mé ar tí é a insint do Susan go bhfuil nuair a fhágann Caty Paul a bheith ina Beast, is é mo ainm ag barr an liosta. Bhí mé ag seiceáil díreach conas a bhraith sí ina suí ar mo ghlúin, ach bhí sí ag spochadh orm mercilessly. "Agus tá a fhios agat. is anam íogair mé."

"A anam an-íogair go deimhin," a dúirt Robert le aghaidh breá díreach.

Anne rollta a súile agus dúirt:

"Suigh liom, a Tink. Sílim go bhfuil mé an t-aon duine ciallmhar fágtha sa ghrúpa beag seo."

Lean an oíche ar aghaidh agus gach duine ag gáire agus ag magadh lena chéile agus an fhoireann ag glanadh smionagar an chóisir taobh thiar díobh.

Caty ag mothú codlatach ag teacht ar aghaidh agus chabhraigh Pól léi.

Sa deireadh thug na huaisle déanacha na pubaill bheaga go taobh an tí, agus thit an puball mór ina thost.

Thug Anne gloine fíona dó agus dúirt:

"Slán Susan. B'fhéidir freisin fanacht ina dhúiseacht agus féachaint ar an ghrian ag teacht suas anois. Ní fada go mbeidh sé sin."

Clinked Susan a gloine i gcoinne Anne's agus Alan murmur:

"Is fearr an dá Robert seo a scaradh uainn, is dóigh liom go bhfuil drochthionchar ag Anne ar do chailín milis."

Sheas sé suas agus thóg Susan isteach ar lap Robert sular shuigh sé síos in aice le Anne agus ag tarraingt níos gaire dó.

"Tráthnóna iontach, Robert. Go raibh maith agat as an gcuireadh. Anne, tá tú carntha go leor de indiscretion anseo go mb'fhéidir go mbeadh orainn dul thar ar an Luan."

Anne gáire.

"Bhí díolúine speisialta aige anocht, nach raibh, a Robert?"

"Mise amháin. Ní féidir liom labhairt ar a shon."

" Úps . B'fhéidir gur cheart dúinn puball spártha a aimsiú ionas gur féidir liom é a dhéanamh suas duit, a Mháistir," rinne Anne bogadh.

"I ndáiríre, ba mhaith liom a athrú sula dtagann na daoine bricfeasta, ach níl mé ag iarraidh a chailleann an éirí gréine, ionas gur féidir fanacht." D'fhéach Alan go mór ar a sclábhaí.

Thit siad isteach i gcaint shocair agus éasca.

Chuir Anne ceist faoi Harry agus phléigh sí an raon leathan cultacha a bhí feicthe acu.

Bhain Robert sciatháin Susan le go bhféadfadh sí claonadh ceart ina choinne.

De réir mar a thosaigh an ghrian ag ardú, thug na díoltóirí bia pláta aráin, liamhás, cáis agus uibheacha a bhí bácáilte go húr dóibh, a d'ith siad go croíúil.

D'ith siad a gcuid bia de réir mar a d'éirigh an ghrian, ag soilsiú go mall ar réimse na síscéalta agus ag briseadh an gheasa a bhí ann san oíche.

Sheas Robert suas agus shín sé.

"Is fearr liom an banphrionsa síscéal seo a chur a chodladh ar feadh cúpla uair an chloig codlata. Féach leat i beagán."

Phioc sé suas Susan agus thug isteach sa teach í.

Bhain sé amach go tapa í agus chabhraigh sé léi dul isteach sa gúna oíche bábóg a bheadh pacáilte aige di.

Ina luí ar an leaba léi, caressed sé di foirm beag.

A mhéara shleamhnaigh go réidh faoina mionbhrístíní meaitseála mar a phóg sé í.

Scar a pluide dó go huathoibríoch.

D'imir sé léi ar feadh tamaill agus fuair sé a bhréagán ar ais.

"Gá mhór ," adeir sé isteach ina póg agus é ag tarraingt siar a lámh agus ag miongháire uirthi. "Codladh anois mo slut beag," phóg sé í arís agus d'fhan pocketing an bréagán agus d'fhág a sheomra ina tost.

CINNEADH DEIRIDH

Leathnaigh súile Susan go mall.

"Come on iníon, éirí suas agus dúisigh." Dúirt a máthair agus í ina suí ar an leaba in aice léi. "Tá go leor codlata agat agus ba mhaith linn roinnt ama a chaitheamh le chéile leat sula mbeidh ort dul ar ais go dtí an chathair."

"Níl ach cúig nóiméad eile," murmured Susan roimh casadh timpeall.

Bhuail sruth beag uisce a leiceann.

"Tá mé awake! Tá mé awake!" Shuigh sí suas, frowned ag an gunna squirt i lámh a máthar, agus d'fhéach sé ar an clog in aice lena leaba. "Mama, níl sé fiú a naoi ar maidin." Bhuail sruth eile uisce í agus d'éirigh sí as, "Ceart go leor, tá mé go maith, tá mé ag éirí anois."

"Ceart go leor, tóg cithfholcadh agus téigh thíos staighre don bhricfeasta" aoibh Caty ar a hiníon atá fós clúdaithe le glitter órga agus í ag breathnú cosúil le aingeal: "Tá sé chomh maith a iníon baile a bheith agat, déanaimis taitneamh a bhaint as. Suas, suas, suas."

Leath uair an chloig ina dhiaidh sin, tháinig Susan síos staighre ag breathnú níos úire agus níos gile ná mar a mhothaigh sí.

Thionóil sí a lámha taobh thiar a droma i bhfolach a díoltas.

Shiúil sí isteach sa chúlchlós, ionadh uirthi nach raibh mórán fágtha den chóisir ón oíche roimhe.

Ní raibh ach cúpla tábla dóibh siúd a d'fhan agus barbeque mór sa lár ag sileadh agus ag spochadh agus foireann na cistine ag cócaireacht bagún, hashbrowns, uibheacha, pancóga agus na rudaí maithe ar fad a rinne bricfeasta do bhéile is fearr leat an lae.

Shiúil Susan go mall i dtreo a tuismitheoirí ag rá maidin mhaith le gach duine agus í ag dul.

Ag tarraingt amach na ngunnaí sciorta taobh thiar dá dhroim, d'fhéach sé ar an mbeirt acu agus chuir sé a ghunnaí spuirt in iúl dóibh.

Ag aoibh gháire go milis, dúirt sé:

"Sin an t-uafásach le duine a dhúiseacht, ba cheart go mbeadh náire oraibh féin. Is bean fhásta mé."

Phléadáil a hathair neamhchiontach, ach ní raibh aon bhaint ag Susan leis.

"Tá a fhios agam go raibh sé do smaoineamh, daid."

Rinne sí aoibh agus tharraing sí na truicear ag taispeáint go raibh na piostail folamh.

"An chéad uair eile ní bheidh an t-ádh leat," a dúirt sí.

Le go leor gáire, d'íslaigh sé a airm agus chuaigh sé chun bia agus sú a fháil.

Bhí an chuma ar an mhaidin ag imeacht go gasta agus daoine ag stealladh amach as na pubaill a bhí tarraingthe ag boladh an bhia agus muintir na háite a chuaigh abhaile an oíche roimh ré ar ais don bhricfeasta.

Ní raibh aon chomhartha ar Robert, Alan nó Anne fós agus rinne sí iarracht gan a bheith imníoch faoi mar a ghlac sí isteach sa chomhrá éasca, suaimhneach ag an mbord.

Bhí a haintín agus a uncail ag fanacht ar feadh seachtaine agus thug siad cuireadh di teacht ar ais leo go dtí an Iodáil le haghaidh laethanta saoire nuair a tháinig siad ar ais.

Bhí sceitimíní ar a tuismitheoirí, ach ní raibh ach aoibh uirthi.

"Níl a fhios agam, bheadh orm é a phlé le Robert," a stop sí sular dúirt sí, "Tá post agam anois."

"Ó, is féidir le d'athair labhairt leis, ceart Paul?" Dúirt Caty agus tháinig cuma scaoll ar aghaidh Susan.

"Stopann Caty. Cinneadh Susan é. Mura n-oibreodh sí do chara linne, bheadh uirthi é a phlé lena boss léi féin. Léiríonn sé seo go bhfuil sí freagrach. Anois tá sí fásta suas agus cuireann sé sin i gcuimhne dúinn. Lig dúinn déanann sí a cinntí féin".

Caty ag agóidíocht, ach chuir Paul deireadh leis an gcomhrá le "Ya, ya my love..." agus ghlac Caty leis.

Chuaigh an comhrá timpeall uirthi agus d'iompaigh a smaointe isteach ag díriú ar Robert agus cad a d'fhéadfadh sé a dhéanamh den iarratas.

Ba mhian léi go mbeadh sé anseo chun labhairt léi.

Líon sé a saol lena láithreacht le cúpla lá anuas agus bhraith sí aisteach adrift gan é timpeall.

Giotán sí a liopa arís agus arís eile, imníoch as a bheith as láthair go dtí gur chuir a máthair isteach ar a smaointe trí ghlaoch ar chabhair sa chistin.

Líonadh binsí na cistine le candies almond agus macarúin sútha talún agus ar an mbord bhí sleeves cairtchláir a fillte i mboscaí beaga.

Susan ag déanamh boscaí beaga agus thug sí do na mná eile iad le líonadh le milseoga a thabhairt do na haíonna.

Labhair a mháthair agus a haintín timpeall air agus iad ag obair:

"Tá tú den sórt sin a cailín maith, Susan. Do col ceathracha riamh cabhrú lena mamaí," wailed a haintín.

Susan gáire.

"Ní dhéanaim ach an rud a deirtear liom mar go sábhálann sé am dom a chaithfinn ag argóint agus ar deireadh thiar ag tabhairt isteach ar aon nós. Tá sé chomh deacair a rá le mo mhamaí ... agus faigheann sí a bealach i gcónaí."

"Nuair a bhí mé i mo dhéagóir, d'áitigh mé an t-am ar fad," chrom Caty ar Julia, "go raibh mé ag caitheamh na héadaí dubha agus an makeup dubh sin go léir. Ach dúirt mé léi, 'Is cuma d'aon duine cad a dhéanann tú sa bhaile, ach cad a dhéanann tú sa bhaile. is rud é a dhéanann tú go poiblí le breithiúnas a thabhairt do chách".

Chuaigh na mná an bealach eile faoi na rudaí a shíl fir óga a bhí inghlactha na laethanta seo, agus choinnigh Susan ciúin ag smaoineamh ar an méid a dúirt a máthair.

Bhí pearsa poiblí agus príobháideach ag formhór na ndaoine, cén fáth ar cheart di a bheith difriúil léi?

Cuireadh isteach ar bhrionglóidí seasta Susan faoina Máistir arís nuair a labhair a haintín faoi Harry ag cur a lámh thart ar ghualainn Susan.

"...cosúil leis an mbuachaill amaideach sin a d'ól an iomarca aréir agus a dúirt drochrudaí faoinár Susan álainn. Is é an rud atá uait ná fear maith a chaitheann leat mar bhanphrionsa, ní buachaill amaideach éigin nár fhoghlaim béasa."

"Sea," aontaigh Susan, "ach Harry i ndáiríre milis dom ar dtús. Táimid tar éis a bheith le chéile chomh fada buille faoi thuairim mé go raibh sé níos éasca neamhaird a dhéanamh ar a temper an chuid is mó den am. Ní raibh mé cailín páirtí riamh agus téann sé. amuigh ag ól go leor lena chairde, mar sin ní fhacamar a chéile mórán ó bhaineamar céim amach."

Giotán sí a liopa agus smaoinigh ar an bhfear a bhí ag iarraidh a oícheanta a chaitheamh léi agus a liopaí cuartha ina leath gáire.

"Cad é atá tú ag miongháire ar Susan?" a mháthair iarr curiously.

"Díreach ag smaoineamh ar fhir aosta, tá cuid acu an-dathúil, nach gceapann tú? Cosúil le daidí."

"Ní bheidh tú ag iarraidh duine níos sine cosúil le d'athair. Tá tú óg agus álainn."

"Ó, ná habair é sin," a dúirt a haintín Julia le hiontas Susan, "Tá rud éigin le rá mar gheall ar aois agus taithí. Téann go leor cailíní chun buachaillí níos sine. Agus is fearr go léir má tá sé saibhir freisin." Ansin lig sé amach gáire.

Rinne na mná gáire ag liostú réaltaí scannán áille dá n-aois agus cuid acu a raibh cailíní nó mná céile óga álainn acu.

Chuaigh an liosta ar aghaidh agus ar aghaidh go dtí gur shiúil Pól isteach sa chistin.

"Cad é an triúr ban is áille ar domhan a dhéanamh anseo?" d'iarr sé amhrasach mar thit siad ciúin.

"Tá siad ag socrú ar 'Sugar Daddy' dom, sílim go bhfuil siad cúngaithe go dtí cúpla aisteoir cáiliúil, an bheirt acu pósta cheana féin, nó mar sin is dóigh liom." A dúirt Susan le giggle.

"A dhaidí siúcra, huh?" Winked sé uirthi. "Tá smaointe níos measa cloiste agam. An raibh Harry cinnte ansin?" Chlaon Susan agus rinne a hathair aoibh gháire agus chuir sé a lámh thart ar a gualainn. "Maith".

"Come on na mban. Tá gach duine ag tosú a fhágáil. A ligean ar a ghlacadh ar ais," Paul stiúir iad amach as an chistin ag iompar na boscaí bándearg beag luchtaithe ina airm.

Anne agus Alan ina suí agus ag gáire leis an ngrúpa agus Susan ag siúl ar ais go dtí an teach agus ag gáire iad a fheiceáil go fonnmhar sa tóir ar a Máistir.

Bhí sé ina shuí in aice leis an ngrúpa a raibh a ghuthán aige.

Bhí fonn ró-mhór uirthi dul ar a glúine os a chomhair, ach ina ionad sin dúirt sí lena máthair:

"Fuair Robert mo ghuthán, geall liom gur fhág mé é ina charr inné."

Ansin rinne sí deifir air ag fágáil a mháthair ina hóstach arís agus shuigh sí ar imeall na suíochán in aice leis.

"Maidin mhaith Mm... Robert." A dúirt sé cheerfully, sásta é a fheiceáil.

Thug sé an fón di agus dúirt go gruama:

"Caithfidh tú é a chríochnú," d'éirigh sé agus shiúil sé uaidh.

Reoite sí.

Bhí sé ar buile léi agus bhraith sé go raibh a chliabhrach níos doichte agus imní air agus é ag féachaint ar a ghuthán.

Bhí go leor teachtaireachtaí agus téacsanna, go léir ó Harry.

Sheiceáil sí na téacsanna ar dtús.

Bhí Harry leithscéalta ar dtús, ansin feargach faoin gcaoi a raibh sí ag caitheamh leis agus mar a thug sí air breathnú cosúil le asshole.

"Rinne tú é sin duit féin," muttered sé faoina anáil.

Agus í ag cíoradh a liopa, chuir sí scairt ar a guthán chun éisteacht le glórphoist agus chuala sí teachtaireachtaí leithscéalta cosúla le barráiste maslaí mar nár chuala sé ar ais uaithi níos luaithe ar maidin.

A shúile líonadh le deora.

Bhí a fhios aici i gcónaí go raibh meon aige, ach d'fhoghlaim sí é a shuaimhniú ar feadh a gcaidreamh agus is ar éigean a thug sí amach é a thuilleadh.

Ba é a locht gur iarradh air imeacht aréir, ach bhraith sí ciontach as a bheith i bhfad i gcéin agus as neamhaird a dhéanamh dá chuid teachtaireachtaí inné.

B'éigean di a rá leis go raibh sé thart, ní mar gheall ar Robert, ach toisc go raibh sí ag aibiú go mall ó bhain siad céim amach agus chuaigh siad ag obair.

Ní raibh sí ina cailín páirtí fiú sa choláiste agus fós chuaigh sé amach beagnach gach oíche lena chairde, ar éigean a chonaic siad a chéile níos mó.

Ní raibh anseo ach an chatalaíoch chun deireadh a chur leis uair amháin agus do gach duine.

Shiúil sí amach ón ngrúpa chun glaoch air agus é a chríochnú.

Thuig sí gur botún a bhí ann é sin a dhéanamh chomh luath agus a phioc sé suas an fón ar an gcéad fháinne.

Lean sí uirthi ag siúl i dtreo aghaidh an tí agus í ag tosú ar a tirade.

"Maidir le ham," growled sé. "Tháinig mé ar ais ón trá ar do shon agus chiceáil tú mé amach ar chúl do chóisir lómhara agus ansin déanann tú gearán nuair a ólann mé beagán. Cheapann tú nach bhfuil mé maith go leor le haghaidh do theaghlach. Ceart? Bhí tú i gcónaí a soith."

Shos sé le haghaidh anála.

"Ní hea," ar seisean go bog, "ní mar sin atá sé in aon chor."

"Inis dom conas atá sé mar sin. Inis dom cén fáth ar chóir dom logh duit agus tú a bheith ar ais."

Chuir a cheist ionadh uirthi, agus san am atá caite bheadh sí ag leanúint láithreach tríd ar a smaoineamh agus leithscéal a ghabháil.

Ach bhí a fhios aici tar éis na seachtaine seo, fiú má roghnaigh sí gan fanacht le Robert, nárbh é Harry an ceann di.

"Níor cheart duit," a dúirt Susan.

D'fhéadfadh sí na deora a mhothú ina súile agus í ag iarraidh a guth a dhéanamh muiníneach.

Bhí Harry ina thost, bhí sé ag súil léi go n-iarrfadh sé air í a thabhairt ar ais, ní hé seo.

Susan arís, sa chiúnas uafásach.

"Tá sé thar Harry," d'fhuaim sé níos airde ná mar a bhraith sé agus bhí áthas uirthi nach raibh sé in ann í a fheiceáil.

"Ní gá duit a chiallaíonn sin. Tá a fhios agam tú, Susan. Feicfidh tú ag teacht crawling chugam. Cé eile ba mhaith leat? Níl aon duine ag iarraidh cailín beag simplí a leanúint timpeall orthu mar soith dúr," hissed a guth, "Cad é an mbeadh tuairim do mhuintire?" mar eiseamláireach dá mbeadh a fhios acu go raibh tú ag impí orm gnéas a fháil, dá dheacra is ea is fearr?

"Fág liom féin. Tá mé dáiríre, Harry." Bhí an chuma ar a guth ar crith ina cluasa féin agus a muinín ag teip uirthi: "Tá sé thart, táimid críochnaithe. Fág mise agus mo theaghlach ina n-aonar anois, le do thoil."

Crochadh sé suas, gan iarraidh a chloisteáil níos mó dá giúmar dona.

Bhí a fón buzzed ina lámh, ag glaoch go ciúin.

Bhreathnaigh sé air go dtí gur stop sé ag glaoch.

Chuimhnigh sí gur iarr sí air spank di uair amháin, agus rinne sé leath iarracht, sular inis sí di nach ndearna sí aon rud dó agus chuaigh siad ar ais go dtí blowjob rialta agus fucking tapa.

Ba é sin an gnáth.

Bhí buzzed an fón arís agus arís eile agus é ag siúl aimlessly.

Phléasc sé le súile deoraí ag iarraidh an anachain a mhothaigh sé a choinneáil slán nuair a stop buzz nua a chuir air siúl gan aidhm agus thug air féachaint ar an bhfón ina lámh.

Bhí teachtaireacht téacs le feiceáil ar an scáileán.

"Tá sé thart nuair a deirim go bhfuil sé thart, soith. Beidh mé ann nuair a gheobhaidh tú abhaile anocht, a dúr cunt. Beidh aiféala ort faoi seo."

Ag tógáil anáil dhomhain agus crith, bhí a fhios aici go raibh sí i dtrioblóid.

Chonaic sí an fhearg seo air cúpla uair agus chuir sé eagla uirthi.

Bhí a dícheall déanta aici i gcónaí chun a meon san am a chuaigh thart a sheachaint trí ghéilleadh dá éilimh.

Anois bhí sé thar a bheith ar buile léi agus scaoil sí isteach deora.

Bhí a fhios aici gur cheart di insint do Robert, ach ní raibh sí ag iarraidh aghaidh a thabhairt air faoi láthair.

Bhí an chuma air go raibh sé i bhfad i gcéin agus feargach ar maidin, agus mar sin chuaigh sí agus dhreap sí an crann is fearr léi chun cinneadh a dhéanamh cad ba cheart a dhéanamh.

Harry léi, thuig sí é sin, ach bhí fearg ar Robert léi freisin agus ní raibh a fhios aici cén fáth.

Níor bheannaigh sí dó fiú.

D'fhéadfadh sí a rá lena tuismitheoirí go raibh sí ag iarraidh fanacht sa bhaile arís, post a fháil níos gaire di anseo, tús a chur lena saol iar-choláiste arís.

Cad a dhéanfaidís dá ndúirt sí leo go bhfuil eagla uirthi dul ar ais chuig a hárasán, go dtí an chathair agus a post, chuig Harry agus Robert?

Bheadh sí greamaithe anseo i lár an aonaigh arís.

Sin é a tharlódh.

Rinne Susan aghaidh.

Bhí an chuma ar an turas go dtí an Iodáil lena haintín agus uncail a rogha amháin maith i láthair na huaire.

Chlaon sí ar ais i gcoinne an stoc crann agus dhún a súile, wiping a deora le ansiúd a gúna.

"D'fhéadfainn eitilt chun na hIodáile agus saol iomlán nua a thosú ansin agus dearmad a dhéanamh ar an praiseach seo go léir a chruthaigh mé."

Bhí a athair le feiceáil faoin gcrann.

"Tar anuas Susy. Tá tú ró-aosta le dul i bhfolach sa tseanchrann sin."

"Níl mé ag iarraidh," d'fhreagair sí petulantly.

"Susan Sanchez! Téigh síos anois. Bhí muid buartha agus tá daoine ag lorg tú." Bhí glór a athar géar agus níorbh fhéidir argóint a dhéanamh leis. "Má ghníomhaíonn tú mar chailín, déileálfaidh mé leat mar cheann amháin."

Thosaigh sí ag ísliú go mall agus chonaic Robert le feiceáil in aice lena hathair agus é ag crochadh ó chraobh íseal rud a chuir ar ceal í, ag cailleadh a cothromaíochta agus ag titim go tobann go talamh i gcarn messy.

Chabhraigh a hathair léi láithreach agus nuair a thug sí faoi deara a súile dearga ata agus a héadan flushed dúirt:

"Cad é seo faoi mar sin?"

Thug sé an fón di agus thaispeáin sé an teachtaireacht di.

"Tá eagla orm dul ar ais go dtí m'árasán anocht," agus amhail is dá mbeadh tuilleadh mínithe ag teastáil uaithi as a bheith sa chrann, dúirt sí go tapa, "Tá eochair aige don árasán."

"Ansin, beidh muid ag athrú na glais. Is féidir leat a shocrú go bhfuil sa chathair, ceart, Robert?" Chuir a hathair suaimhneas uirthi agus é ag barróg í. "Is féidir leat fanacht anseo anocht. Tabharfaidh mé ar ais leat amárach nó an lá dár gcionn nuair a bheidh sé seo socraithe."

"Níl," a dúirt Robert ró-tapa. "Ní dóigh liom gurb é sin an freagra," lean sé air agus iad ag casadh air ag féachaint air.

Mheas sé iad araon le súile dorcha sular labhair sé ar deireadh.

"B'fhéidir gur chóir dúinn í a aistriú go ceann de na árasán cuideachta ar feadh tamaill. Just a bheith sábháilte. Tá níos mó slándála ann agus bheadh aon radharc a sheachaint má chuardaíonn tú di níos déanaí."

"Tá sé sin an-fhlaithiúil leat, a Robert, ach níorbh fhéidir linn iarraidh ort é sin a dhéanamh ," thosaigh Pól go mall, "Is dócha gur fearr é má fhanann sí sa bhaile ar feadh tamaill as a teacht. Cinnte is féidir leat í a shábháil ó bheith ag obair ar feadh tamaill. cupla lá." "

"Tá go leor oibre againn san oifig an tseachtain seo, Paul. Níl mé cinnte an féidir liom maireachtáil gan é, tá sé tar éis éirí fíor-riachtanach. Tá árasán folamh i mo fhoirgneamh faoi láthair. Is iondúil nach n-úsáideann muid é ach le haghaidh lasmuigh de-. cliaint an bhaile." cathrach, mar sin ní fadhb é. D'fhéadfaimis é a bhogadh anocht. Lig dom cúpla glaoch gutháin a dhéanamh agus ní bheidh ort aon rud a dhéanamh."

"Níl aithne agam ar Robert. Mhothaigh mé níos fearr dá bhféadfainn súil a choinneáil uirthi féin. Chuirfeadh sé sin mo shuaimhneas beagán orm. Cad faoi Susy?" Chlaon sí dumbly, ionadh ag an cas na n-imeachtaí.

Gan seans eile a thabhairt do Phól meath, rug Robert ar a ghuthán agus shiúil sé uathu agus é ag labhairt.

"Beidh gach rud go breá mo Susy beag. Ní gá duit teacht ar ais inniu, agus b'fhéidir gur fearr leat fanacht anseo ar feadh oíche amháin eile ar a laghad."

Thug sé barróg di arís agus chuaigh sé in éineacht lena máthair ar ais go dtí an teach, ag rá:

"Beidh mé leat ar ball beag, a ghrá," roimh Robert a leanúint chun labhairt níos mó ar an scéal.

Bhreathnaigh a máthair uirthi buartha.

"Tá mé ceart go leor, a Mhamaí. Mar sin, slán a fhágáil ag do chairde ar an mbealach ceart. Tá mé chun dul a fheiceáil Alan agus Anne sula bhfágann siad."

Strac Susan a radharc buartha, brónach óna máthair a bhí ar strae chun suí lena cairde.

Rinne Alan teagmháil leis an bhfón.

"Féadaim? Bhí Robert ag déanamh aithrise ort agus ar an bhfón seo ar maidin ar fad. Ní dóigh liom go bhfaca mé riamh é chomh soiléir sin irritated."

D'fhéach Susan suas ar a máthair, a chonaic sí ina suí agus thosaigh sí ag caint nuair a d'fhill sí lena cairde féin.

"Robert cosúil i ndáiríre buile ag dom." A dúirt Susan go ciúin.

Phioc Alan an fón agus thosaigh sé ag scrolláil trí na téacsanna.

"D'fhan muid le Robert aréir," chuir Anne isteach ar a smaointe, "Tá sé i ndroch-ghiúmar an mhaidin ar fad. Ní dóigh liom gurb é sin an fáth a bhfuil tú ag rá, sweetie. Tá sé ag caint le Carla chun rudaí a shocrú i gceart don cholscaradh. ."

Rinne Alan gáire nuair a thug sé an fón ar ais.

"Sin ifreann amháin de tantrum, agus cén aois a dúirt tú go raibh sé?" Arsa Susan, "Creidim níos fearr anois mé. Lig do Robert aire a thabhairt duit féin agus do do chara. Cad atá á dhéanamh aige ansin?"

"Tá sé ag casadh mo domhan bun os cionn arís. Táim beagán buartha faoi dul ar ais go dtí mo árasán anocht. Tá eochair ag Harry, mar sin is dóigh liom go bhfuil Robert ag bogadh mo chuid rudaí go léir chuig áit nua. Mar sin, beidh sé rud éigin you 'll "Beidh orm a dhéanamh gach lá. Sílim go mbeidh orm fanacht anseo anocht agus dul ar ais go dtí an baile amárach."

Alan iompú tromchúiseach go tobann.

"Is fearr gan a bheith i mbaol ego cosúil le Harry. Ní thagann sé chomh maith. Is smaoineamh maith é bogadh, is dócha go bhfaighidh tú fón nua freisin. Rachaidh mé a fheiceáil an féidir liom cabhrú le Robert. Nílimid ag iarraidh rud ar bith a dhéanamh. tarlú dár Susan Bheag."

Aoibh Anne agus dúirt sí, "Ní hea, ní dhéanaimid," mar a shiúil Alan ar shiúl.

Ag féachaint ar Susan, d'ísligh Anne a guth.

"Agus ní dóigh liom go ligfidh mé duit fanacht anseo arís anocht. Bhí Robert cosúil le béar i gcliabhán an mhaidin ar fad agus é féin agus Carla ag réiteach roinnt rudaí don cholscaradh ionas gur féidir linn na páipéir a chur in eagar láithreach," ar sé. chonaic Susan an t-iontas ar a héadan, agus stop sí.

"Níl ann ach go bhfuil an chuma air go bhfuil sé chomh buile orm ar maidin, agus níl a fhios agam cad a rinne mé chun cabhrú leis." Dúirt Susan.

"Amaideach, leanaim ag rá leat nach bhfaca aon duine againn é ag gníomhú ar an mbealach seo riamh. Is breá leis tú. Is féidir le gach duine é a fheiceáil. É a bheith anseo áit nach féidir leis a thaispeáint duit conas a mhothaíonn sé nó a chaitheann sé leat mar is mian leis. é a mharú." Aoibh sí, "Tá aithne agam air le fada an lá agus ní fhaca mé é ag tabhairt isteach an oiread sin do riachtanais cailín. Tá amhras orm go mbeidh leath uair an chloig ann sula gcuirfidh sé i gcuimhne duit cé atá ag freastal ar cé."

Anne gáire mar Susan blushed, an smaoineamh air ag baint úsáide as sí gan srian arís ag déanamh a squirm le eagla agus oirchill.

Ansin, i gcogar, murmured Anne:

"Tá sé go deas é a fheiceáil ar an taobh eile den chlaí, ag iarraidh rud éigin nach féidir leis a ghlacadh."

Scaoil Anne amach gáire a d'ardaigh biotáillí Susan.

D'fhéach Susan anonn go dtí an áit a raibh an triúr fear ag caint agus ag déanamh glaonna.

Bhí aoibh gháire le feiceáil ar a liopaí, agus bhí a fhios aici go raibh grá ag gach duine acu uirthi ina mbealach féin agus go raibh siad ag iarraidh í a choinneáil slán.

Ag suí go díomhaoin agus í ag déanamh imní faoina raibh ar siúl acu ní raibh sé ag cur níos mó imní di ach ní raibh a fhios aici cad a bhí le déanamh.

"Ní féidir liom suí anseo ag breathnú orthu a athrú go hiomlán mo shaol." D'fhéach Susan go brónach ar Anne.

"Conas mar gheall ar an lap sin a gheall tú dom aréir?" Mhol Anne. "Ní mór duit dul pacáiste do rudaí mar sin féin."

"Ceart go leor," d'fhéach Susan siar ar an ngrúpa beag fear, "ach is dóigh liom fós go bhfuil m'athair ag iarraidh orm fanacht sa bhaile anocht."

"Ba mhaith liom geall a dhéanamh air sin." Aoibh Anne, "Bhuel, lig dom dul a insint do na daoine uaisle go bhfuil muid ag dul ag siúl. Agus ná bíodh imní ort arís, beidh mé ar ais ceart agus is féidir leat a thaispeáint dom timpeall an tí."

Chríochnaigh siad an turas i seomra Susan ionas go bhféadfadh sí a culaith agus a mála a athphacáil.

Anne barróg di.

"Beidh gach rud go breá, tá a fhios agat. Ní ligfeadh Robert aon dochar a dhéanamh duit," a dúirt sí, ag gáire go sona sásta, "mura ndearna sé é féin a dhearadh, ar ndóigh. Táim an-sásta gur thug Robert isteach thú. Tá sé cosúil le deirfiúr bheag gleoite a bheith agam i gcónaí."

Chuir Susan an barróg ar ais.

"Sílim gurb é sin a bhí i gcuimhne Robert an t-am ar fad. Tá mé tosaithe a thuiscint go ndearnadh gach rud an tseachtain seo ar chúis, fiú amháin ar an mbealach a tháinig mé a sclábhaí," stop a aigne ag a smaointe ar feadh tamaill, a. nóiméad roimh scaoileadh an barróg agus leanúint ar aghaidh, "agus ní fhéadfadh sé a bheith roghnaithe cara níos fearr dom. Tá tú iontach ag cabhrú liom."

Giotán Susan a liopaí agus murmur:

"Agus níl mé ag iarraidh smaoineamh air, ach mar sin féin, is dóigh liom go raibh sé ag pleanáil rud éigin cosúil le Harry an deireadh seachtaine seo."

"Tá amhras orm faoi agus is dócha go míníonn sé sin a staid intinne roimhe seo. Mar sin féin, tá sé tar éis déileáil le assholes cosúil le Harry roimhe seo. Chuidigh sé le cúpla cailín a bhfuil aithne agam orthu le droch-chaidreamh. Tá rialacha inár saol maidir le sábháilteacht agus sanity, ach tá tú Foghlaimeoidh sé faoi "Sin go luath. Ní athróidh sé sin an dóigh a mothaíonn sé fút, a mhile, agus tá an-amhras orm go bhfágfaidh sé anseo tú anocht le do thuismitheoirí."

" Tá freagraí ag teastáil uaidh amárach." Chlaon Susan go domhain.

Anne fhéach sé ar a buartha.

"Freagraí ar cad?"

"Cibé an bhfanfaidh mé le Robert mar a sclábhaí nó an bhfágfaidh mé é agus gach a thug sé dom," a stop Susan. "An chuideachta, mo chairde nua ... bheinn ag éirí as gach rud agus gach duine, ní hamháin é."

"Ar thug sé an rogha duit? WOW, fuair tú mícheart é." Bhreathnaigh Anne ar an mearbhall a bhí ar aghaidh Susan agus d'ísligh í chun suí ar an leaba. "Déantar dúmhál ar roinnt cailíní nó cuirtear iallach orthu dul isteach sa stíl mhaireachtála seo, nuair nach bhfuil sé faighte acu ina n-aonar. Roghnaíonn an chuid is mó fanacht toisc go n-aimsíonn siad áit ina mbaineann siad tar éis na hoiliúna tosaigh, le Máistir nó i gclub mar atá againne . fágann cailíní nó iarradh orthu imeacht toisc nach raibh siad in ann an oiliúint a sheasamh nó nach raibh siad in ann iad a oiliúint Is féidir leis an mbeagán cailíní a fhanann nach bhfuil de rogha acu ach as ciontacht, eagla nó nach bhfuil áit ar bith eile acu sclábhaithe maithe a dhéanamh , ach ní bhíonn siad iontach mar níor roghnaigh siad é dóibh féin."

D'éist Susan go géar, ag magadh faoin trácht deireanach.

Anne thóg a lámh.

"Ar mhothaigh tú ar an mbealach sin beagán, nó an raibh tú ar dtús? An chiontacht agus an náire a bhaint amach thaitin cluiche Robert leat?"

Bhreathnaigh sí agus Susan ag ísliú a ceann agus ag sméideadh.

"Ah, mil. Ach thug sé an rogha duit. Níl sé ag iarraidh go bhfanfadh tú leis as eagla nó náire. Ní mór dó glacadh leis cé tú féin agus cé hé féin ionas gur féidir leat caidreamh níos doimhne a bheith agat. an bheirt agaibh sásta. Caithfidh go bhfuil sé ag iarraidh aire a thabhairt duit."

"Tá an oiread sin le foghlaim agus le heolas. Ní dóigh liom gur féidir liom é a fhoghlaim go deo agus a bheith ar an sclábhaí atá uaidh." Thuig Susan cé chomh brónach agus a mhothaigh sí.

"Tá tú cad ba mhaith aige!" Anne sounded frustrated. "Is é sin an oiliúint, scileanna a fhoghlaim. Cailín a roghnaíonn an saol a bheith umhail do Mháistir, cuireann sí a croí agus a hanam i dtaitneamh as, mar is é an rud a dhéanann í, seachas glacadh le ról inti . " Tá sí oilte, cosúil leis na cailíní eile Ar mhaithe le fíor-mholadh, is é an gníomh simplí a bhaineann le pléisiúr a thugann sé sásamh di An dtuigeann tú? daor atá uaidh agus atá de dhíth air."

Arís eile, chlaon Susan, ag aithint na féileacáin te a líonadh í nuair a bhí sé sásta.

Ach giotán sí a liopa mar a tháinig focail a cara chun a aigne sular fhéach sí uirthi leis na súile leathan, ionadh ag simplíocht míniú Anne agus cad a bhí i gceist aici di.

Níor mheas sí riamh go raibh an baol ann go gcaillfeadh sé í nó go mbeadh an-chúram air dá bhfágfadh sí.

Ghlac sí leis go bhfaighidh sé duine eile chun freastal ar a chuid riachtanas.

"Tá sé saibhir, cumhachtach, agus dathúil; bheadh go leor cailíní gladly a chuid. Tá cuid de na cailíní níos oilte a bhuail mé. Dealraíonn sé go bhfuil mé mícheart chomh minic. Cosúil le maidin seo, tá mé fós aon smaoineamh cad a rinne mé mícheart. "

"Ní dhearna tú aon rud mícheart. Níl sé ach éad le Harry." Thóg Anne Susan chun a cosa agus tharraing sí anonn go dtí an scáthán í. "Féach ar tú féin, i ndáiríre breathnú ar tú féin. Tá tú go hálainn, tá tú submissive, cibé an admhaíonn tú é nó nach ea. Léiríonn tú é ar an mbealach a chóireáil tú na daoine go bhfuil tú faoi chúram. Tá tú cheana féin chomh obedient agus go maith- oilte go nglacann tú lena gcinntí gan fiú iad a cheistiú Buaileann tú isteach in ainm Robert anseo toisc go dteastaíonn uait Máistir a ghlaoch air Ná bíodh amhras ort féin a chéasadh agus glac leis an bhfíric go bhfuil grá ag Robert ní hamháin duit ach go dteastaíonn tú uait Féach ort féin Féach ort féin leat féin agus inis dom fáth maith amháin cén fáth . Ná fan le Robert agus tabhair seans duit an rud a thairgeann sé."

Rinne Susan aoibh wryly.

"Tá sé chomh nua ar fad agus níl a fhios agam. Tá sé scanrúil an oiread sin smachta a thabhairt do dhuine éigin ort. Cad a tharlaíonn nuair nach n-oibríonn sé? An mbeinn i bhfostú go deo?"

"An gceapann tú go mbainfidh sé faoi ghlas tú i gcliabhán agus nach ligfidh sé amach duit má fhanann tú leis? Féach ar dom. Téim chuig cóisirí. Glacaim am saor chun dul a fheiceáil mo theaghlach agus lena chairde. Níl sé am jail mil, agus tá sé ag dul i gceannas cheana féin, mar a dhéanfadh cara nó leannán ar bith. D'iompaigh sí chuig Susan agus d'ardaigh sí arís, "Ní chuirfeadh Robert ort fanacht leis dá mbeifeá fíor-mhíshásta, mar ní fhéadfá a bheith ar an sclábhaí atá uaidh. air." ar seisean. Creidim."

Bhí gile agus aoibh ar Susan, a hintinn ag obair, ag casadh a smaointe féin uirthi.

Léim sí nuair a chuala sí footsteps ar an staighre.

"Ba mhaith linn a fháil ar ais níos fearr sula dtagann siad dúinn."

"Ró-dhéanach." Bhí guth Robert crua agus brittle. "Caithfidh muid imeacht go luath. Téigh a fheiceáil do thuismitheoirí. Cuirfidh mé do chuid rudaí sa charr."

"Níl mé ag fanacht anseo anocht. Mm... Robert?" d'iarr sé agus Susan rug Anne giggle agus blushed.

Robert fhéach sé ar a somberly.

"Ní fhanfaidh tú anseo oíche amháin eile," a dúirt sí, "Caithfidh tú a bheith áit ar féidir liom aire a thabhairt duit."

Chas sí chun an mála a dhúnadh, a léiriú ag déanamh imní di.

"Gach pacáilte suas," a dúirt sé.

Chuaigh sé chuici agus d'ardaigh sé a aghaidh ag an smig ag lorg a súl.

"Is liomsa tú," a dúirt sé.

"Tá, máistir." Rinne sí cogar agus tháinig an glow te go mall ar an saol ina bolg agus coirnéil a béil ag claonadh beagán le gáire páirteach.

"A chailín mhaith," phioc sí suas an mála éadaigh agus an bosca agus thug amach as an seomra iad.

Bhí na haíonna fágtha cheana féin, bhí Alan le Paul, agus labhair Caty agus Lucia go ciúin le chéile, ag iarraidh gan uncail Susan a bhí ina luí ar an tolg a mhúscailt.

Chuaigh Cáit agus barróg uirthi.

"Anois," a dúirt a mháthair, "a luaithe a gheobhaidh tú fón nua cuirfidh tú an uimhir in iúl dom. Tá d'athair ag iarraidh go mbainfidh tú réidh le do chuid féin. Ceart, a Phóil?"

"Sea mo ghrá." Paul winked ag Susan, "Agus is maith cairde a bheith agat. Tá árasán nua agat cheana féin. Gheobhaidh Robert fón nua duit nuair a thagann tú ar ais go dtí an baile. Ná bíodh imní ort Susy beag," thug a hathair barróg di go docht, " Robert Dearbhaíonn sé dúinn nach gcuirfidh Harry isteach ort a thuilleadh, ach is féidir leat fanacht anseo linn anocht más mian leat."

"Go raibh maith agat, a Dhaid. Braithim amaideach anois as a leithéid d'fhócas a dhéanamh. Níor cheart dom a bheith buartha agus trína chéile chomh mór sin leat faoi bhriseadh suas a tharla blianta ó shin. Tá brón orm, a Dhaid." Chlaon sí isteach ina luí.

"Ná gabh mo bhuíochas. dúirt Robert agus Alan, "rinne sé gach rud chun a chinntiú go raibh tú sábháilte sa chathair," a dúirt Pól.

"Go raibh maith agat a dhuine uasail cineálta, is tú mo laoch arís." Chuir Susan srian le hAlan.

Luaigh Alan do Robert agus dúirt le gáire:

"Rinne sé é ar fad. Lig sé dom féachaint áfach agus tá mé traochta. Obair chrua a bhí ann."

"Milseog sútha talún breise duit, mar sin," d'fhill sí ar a meangadh ionfhabhtaíoch agus Alan ag béiceach leis.

Thiontaigh Susan chun breathnú ar Robert.

"Go raibh míle maith agat, níl a fhios agam conas is féidir liom tú a íoc ar ais."

"Tá roinnt smaointe agam," a dúirt sí, "ach is féidir leat tosú freisin le milseog sútha talún domsa."

"Gheobhaidh mé níos mó. Ná téigh go fóill!" Rith Caty go dtí an chistin agus thosaigh gach duine ag siúl i dtreo na ngluaisteán.

Tháinig Caty amach le níos mó boscaí bándearga do na fir agus chas sí chun breathnú ar Susan le súile ceo.

"Ó Paul, nach féidir leat a dhéanamh di fanacht anseo ach oíche amháin eile? Cá bhfuil sé níos sábháilte."

"Caty, labhair muid faoi seo cheana féin. Tá sí gealltanais ag an obair, cruinniú mór amárach agus ní mór di a dhíphacáil gach rud atá ag bogadh timpeall." Chuir Pól a lámh thart ar ghualainn a mhná céile, "Ba mhaith liom go bhfanfadh sí freisin, ach tá daoine maithe ag tabhairt aire di, beidh sí sábháilte leo."

Cáit sniffed.

"An bhfuil tuáillí glan agus fo-éadaí glana agat, ar eagla na heagla?" chuir sí na ceisteanna seo i gcónaí nuair a d'fhág a hiníon an teach chomh fada agus is cuimhin le Susan.

Bhí Alan ag gáire agus Susan ag blushed.

"Ó mama, stop!"

Ach bhí Caty i ról eagna na máthar:

"An raibh tú go dtí an seomra folctha? Is tiomáint fada é agus níl tú ag iarraidh a thabhairt ar Robert stop a chur gach uair an chloig ionas gur féidir leat gluaiseacht bputóg a bheith agat. Ní nuair a bhí sé chomh maith leat."

"Sea Mam, tá mé imithe."

"Téigh ar ais ar aon nós. Is féidir leo fanacht nóiméad."

"Bhuel," adeir sé, a aghaidh trí thine.

"Rachaidh mé freisin," aoibh Anne, "Insíonn mo mháthair an rud céanna dom nuair a fhágann mé an teach." Agus rinne sé deifir chun teacht suas le Susan.

"Tá smaoineamh agam conas is féidir leat Robert a aisíoc," a dúirt Anne i gcluas Susan.

"Díreach ag rá yes?" Susan gáire.

"Bhuel, tá sé sin tugtha, ach tá sé níos mó faoi conas a rá tá."

Lean Anne ar aghaidh le treoir a thabhairt do Susan faoi conas a d'fhéadfadh sí impigh go mion ar Robert as an muince, agus iad ag déanamh sealaíochta ag fual agus ag siúl ar ais go dtí an bealach isteach.

Bhí gile ag Susan leis an gcur síos a rinne Anne ar an gcás agus d'fhéach siad go léir uirthi go aisteach agus iad ag druidim leis na gluaisteáin.

Anne gáire nuair a chonaic sí iad.

"Bhí sé ach labhairt cailín."

Slán a fhágáil ag Susan lena tuismitheoirí, geallann sí glaoch, agus chuaigh sí sa charr.

Bhí Anne agus Alan imithe ar dtús.

"Lig Susan dul." Paul rabhadh a bhean chéile, leaning amach an fhuinneog carr, "nó ní bheidh siad a fháil ann roimh an dorchadas."

Shiúil Caty amach as an gcarr ag féachaint ar Susan agus súile dearthár ag rabhadh do Robert í a choinneáil slán.

Thacaigh Robert go mall suas an cabhsa agus chas sé ar an tsráid.

Shiúil Susan go dtí go raibh siad as radharc agus ar a suaimhneas ina suíochán, ag mothú traochta.

Sheas Robert ar an luasaire agus chuaigh siad ar aghaidh le hAlan agus Anne de réir dealraimh agus iad i gcruachás chun filleadh ar an mbaile.

Thosaigh súile Susan ag titim ón easpa codlata agus an t-inneall á luadh chun codlata agus shleamhnaigh an tuath thar na fuinneoga.

"Ná codladh go fóill," ar seisean.

"Cad a rinne mé chun tú a dhéanamh chomh buile orm?" Dúirt sí go triaileach: "Má tá a fhios agam, ní dhéanfaidh mé an botún céanna an chéad uair eile."

Ghéaraigh sé chun stop a chur, rocking di ar ais isteach sa suíochán.

Chas sé amach an mhórbhealaigh isteach ar bhóthar dusty nár úsáideadh agus thiomáin sé go cúramach síos agus timpeall cuar.

Gan focal a rá, pháirceáil sé i measc grúpa beag crann.

D'éirigh sé as an gcarr agus shiúil sé thart ar oscailt an dorais agus yanking sé amach.

Gan fanacht léi seasamh suas, tharraing sé go cúl an chairr í agus d'oscail sé an stoc.

Lean sé ar aghaidh í thar an imeall, choinnigh sé ansin í lena pluide agus é ag oscailt mála cáipéisí ina suí in aice lena bagáiste.

Agus é ag obair go práinneach, thug sé gobaireacht uirthi, liathróid dearg rubair líonta isteach ina bhéal agus é ag clampáil go daingean ina áit.

Phioc sé suas fuip beag agus sheas ar ais, ardú a gúna suas a droim.

Tháinig an fuip i dtír le craos glórach i gcoinne a masa gan chosaint, an bruise ag ardú láithreach agus ag líonadh é lena riachtanas chun smacht a fháil uirthi.

Chuala sé a caoineadh báite ón liathróid agus an fuip ag tuirlingt dhá uair eile ar a bun sular bhog sí go dtí a pluide, áit ar thuirling an fuip faoi dhó.

Bhí sí ag whimpering i gcoinne an gobán nuair a stop sé chun scrúdú a dhéanamh uirthi.

Bhí sí ag panting lena corp ar crith agus deora ag sileadh óna súile agus é ag claonadh anuas uirthi agus ag caoineadh ina cluas .

"Ní raibh mé ar buile fút. Ní raibh mé sásta go raibh an bastard beag sin ag tabhairt aire duit. Ní raibh sé ag éirí as tú, ach anois is mian liom grá agus meas a bheith agat. An dtuigeann tú? agus mo chosaint, mo cheannsa le coinneáil slán agus mo cheannsa le traenáil agus le húsáid."

Chuir crack na fuip ar a pluide pian uirthi agus í ag sméideadh agus bhuail sé an fuip ag a bun arís.

"Ní cheiltíonn tú sna crainn. Tá muinín agat asam na cásanna seo a láimhseáil. Tá sé de fhreagracht orm aire a thabhairt duit agus tú a choinneáil sábháilte. Cén fáth nach bhfuil muinín agat asam?"

Rinne sí iarracht labhairt ar fud an liathróid, ach tháinig sé mar moans muffled.

Bhí a aigne ag cloí leis an bhfocal grá amhail is dá mba é an píosa a bhí in easnamh an tseachtain seo ar fad.

Chonaic sí é ag piocadh suas breiseán agus lube as an trunk.

Scar sé a masa crith agus dribble an glóthach uirthi.

"Lean ar ais agus fanacht ar oscailt." d'éiligh sé, ag baint úsáide as méar chun í agus an breiseán a chlúdach.

Shroich sí ar ais agus lámha crith, chun cuid a masa throbbing.

Ag cur a mhéar isteach ina poll daingean, thaisce sé isteach agus amach arís agus arís eile, ag mothú a mhatáin agóid i gcoinne na méar isteach.

Rinne a cuid fuaimeanna muffled a choileach níos deacra fós.

Nuair a chonaic sé go raibh sí réidh don phlocóid níos mó seo cheana féin, tharraing sé a lámh siar agus bhrúigh sé an plocóid ina coinne.

Lig sí amach caoineadh, ag streachailt agus ag análú go mór mar a bhraith sí é a bhrú go dian i gcoinne a matáin resistant.

Bhí a súile faoi bhrón agus an t-anas ag oscailt ag géilleadh don phlocóid a shín go pianmhar í.

Tharraing sí amach é chun féachaint ar an bpoll ar oscailt ar feadh cúpla nóiméad, a matáin ag teannadh lena dhúnadh sular bhrúigh sí an plocóid ar ais isteach inti agus é ag brú go domhain.

Moaned sí mar a líonadh sé í, a lámha lingering ar a leicne mar a shocraigh sé ar deireadh, a matáin clenching thart ar an deireadh barrchaolaithe.

Go tapa shleamhnaigh Robert crios thart ar a choim, ansin cheangail strap fada chun tosaigh, agus é a chromadh ina áit.

Ag piocadh suas vibrator beag, d'imir sé leis go héadrom sular cuireadh isteach ina cunt te, fliuch.

Thug sí greim ar an strap ón taobh tosaigh, á brú go héadrom idir a folds chun teacht taobh lena clit agus í ag casadh ar an mbréagán eile a d'ardaigh í.

Daingnigh sé go dtí an crios é trí buckáil san áit cheart ag an taobh beag dá dhroim.

Thóg sé í go dtí a cosa unsteady agus shroich sé taobh thiar a mhuineál chun an cnaipe sleeveless a bhí sí ag caitheamh agus ligean dó titim as a cíocha.

Ag breathnú síos ar a aghaidh whimpering, pinched sé agus twisted a siní, an gobán muffling a moans mar a bhí sé ina súile.

Ag brú uirthi ar a glúine, d'fhéach Robert síos le háthas íon:

"A bhean bheag bhreágh sin, níor thuig an bastard beag sin an duais a bhí aige. Is liomsa thú anois."

Chlaon sé thar stoc an ghluaisteáin chun an fuip a fháil agus chaith sé i gcoinne a cíoch.

D'ardaigh trí welts dearg go hiontach ar a craiceann bán.

Ag caitheamh an fuip ar ais isteach sa stoc, dhírigh Robert ar a chuid pants agus stróic sé a choileach go mall.

Ansin stróic sí é thar leicne Susan, ag smearadh orthu le precum.

Susan anáil dhomhain chroith agus bhain sé an gobán.

Chrith sí faoi dó ón vibrator mall taobh istigh di agus bhraith sí an breiseán níos déine.

Oscailt a béal dó, fillte sí a liopaí go docht thart ar a coileach mar a chuir sé ar a teanga.

Líon sé a béal mar a sucked sí, ag teacht síos a tangling a lámha ina chuid gruaige.

Bhí sí ag gol agus ag gol, cuacha fada drool ag crochadh óna smig agus ag tuirlingt ar a cíoch dearg agus í ag sú go dian dó.

Thosaigh sé ag fuck béal léi i ndáiríre síos go dtí a scornach, mothú a swallow timpeall air agus leath choke.

Os ard, bhí sé ag caoineadh:

" Mar sin, mo soith beag."

Rinne a lámha níos doichte ina cuid gruaige agus choinnigh sé ina áit í agus é ag bogadh isteach agus amach as a bhéal agus a scornach.

Bhí a aigne beo sa tóir ar an ceint.

Bhí sé dian mar gheall ar na welts agus mar gheall ar na trí pholl iomlán.

Bhí a clit Chuimil crua i gcoinne an strap leathair le gach gluaiseacht.

Chrith sí le teas agus le riachtanas, ag foluain idir pian agus pléisiúir agus é ag tarraingt amach as a scornach agus ag caoineadh go bog:

u0026quot;Tar mo soith beag,» ag brú ar an liathróid as an gobán isteach ina béal, spraeáil sruth tar éis sruth cum ar a aghaidh agus í ag caoineadh isteach sa gobán.

Chroch sí ar ais í le gach matán ina corp docht agus í ag magadh ina seasamh.

An teaghráin a cum te sileadh síos a aghaidh mar oozed sí a súnna féin ar fud an vibrator, bhraith sé cóta a pluide.

Bhí pléisiúir agus pian ag baint lena corp, an vibrator ag cromadh go híseal agus ag coinneáil tonn i ndiaidh toinne ag dul tríthi.

Robert stroked a cuid gruaige.

"Cailín maith".

Thóg sé an liathróid as a béal, lig di anáil dhomhain a ghlacadh, agus chuaigh sé ar ais go dtí an trunk.

Ag dúnadh an chófra, bhain sé blaincéad picnic amach agus chuaigh sé chun suíochán an chairr a chlúdach di.

Ag suí sa suíochán an chuid is mó den bhealach, d'fhill sí agus phioc sí suas a sclábhaí crith, traochta, a thaisceadh ar ais sa charr ar an brat.

Chas sé as an vibrator a choinnigh a corp ar tí a bheith ar crith agus a dhaingnigh a lámha faoi strap an crios sábhála, ag tabhairt rabhadh di gan iad a bhogadh.

Nuair a bhí an crios sábhála gearrtha ina áit, scrios sé go réidh na braonacha cum is mó óna aghaidh agus bhrúigh sé a barr ar ais san áit, ag baint taitnimh as na línte dearga a bhí le feiceáil timpeall an bharr sleeveless.

Ag siúl timpeall an ghluaisteáin, dhreap sé isteach i suíochán an tiománaí chun an t-inneall a thosú agus tiomáint go mall ar ais go dtí an príomhbhóthar.

Rinne sé aoibh uirthi.

"Anois is féidir leat codladh mo sclábhaí beag álainn."

Thit a súile air mar a dúirt sí:

"Go raibh maith agat, a mhúinteoir".

Dhún sí ansin iad ag ligean dá smaointe casadh arís ag iarraidh cuimhneamh ar a comhráite ó inné agus maidin inniu.

Tharla go leor.

Bhí pian aníos ar a corp agus bhraithfeadh sí a héadan agus a pluide tirim.

Sea, shíl sí, tá mé a fraochÚn.

Bhí iontas uirthi fós ar an mbealach inar spreag a úsáid gharbh a hintinn agus a corp, bhí sí tuirseach traochta.

Shíl sí ar Harry, thug sé anchúinse, fraochÚn, nympho uirthi.

Níor thuig sé cad a bhí uaithi agus a bhí ag teastáil uaithi.

Ina áit sin, bhí sí tar éis cur suas lena féiniúlacht agus rinne sí freastal ar a chuid riachtanas.

Bhí éileamh ar Harry i gcónaí, ach thaitin sé go raibh an chuma air go raibh sé chomh muiníneach an t-am ar fad, cé go raibh sí cráite i gcónaí le neamhchinnte.

Thit sí ina codladh ag déanamh comparáide idir Harry agus Robert, muiníneach agus éilitheach, ach ba chosúil go dtuigfeadh Robert ní hamháin cad a bhí ag tiomáint í, ach cad a theastaigh uaithi fiú nuair nach raibh .

Bhreathnaigh Robert ar Susan a chodladh agus í ag tiomáint.

Bhí mé beagnach caillte aici inniu.

Bhí sé beagnach chun labhairt le Caty as a choinneáil sa bhaile go dtí go raibh an praiseach glanta suas, agus ba chosúil go raibh sí ag iarraidh fanacht sa bhaile i sábháilteacht choibhneasta ann.

Do dhorchaigh a ghiúmar lena smaointe:

"Ní raibh mé ag iarraidh í a choinneáil i gcoinne a toil, í a fhuadach, a chur faoi ghlas agus í a athrú. B'éigean dó glacadh léi gur leis é, gur leis é."

Strac sé a shúile ón mbóthar chun breathnú uirthi arís.

sí , bhí sí clúdaithe i seamhan agus roinnt welts dearg, agus bhí sí ina codladh go síochánta.

Déarfadh sí tá nuair a thiocfadh an t-am, do luigh sí síos, b'é a nádúr é agus cé h-í 'na croidhe.

Soith beag masochistic a bhí inti agus bhí an oiread sin de dhíth air agus a bhí uaidh.

Bhí sé cinnte de.

Deifir sé go dtí a áit shábháilte a fhios agam go raibh sí ann leis anois, tar éis gach rud beagnach imithe as a smacht ar maidin mar gheall ar an bastard beag Harry.

"Mine," a dúirt sé os ard. "Is liomsa thú".

Timpeall tríocha nóiméad ó shroich sé teorainneacha na cathrach, tharraing sé isteach i stáisiún gáis chun an umar a líonadh.

Bhí sí slán ina chodladh agus chlaon sé isteach i gcúl an chairr chun a sheaicéad a fháil chun í a chlúdach.

Ag síneadh faoina seaicéad agus a gúna, d'iompaigh sí bonn an vibrator chun creathadh go mall agus d'éirigh sí as an gcarr.

Thosaigh sé ag líonadh an umar ag breathnú uirthi tríd an bhfuinneog oscailte.

Dhúisigh sí go mall ag purring mar a líon na mothaithe í agus rolladh sí thar beagán, síneadh roimh a súile leathnaithe, agus gasped sí.

Bhreathnaigh sí thart i scaoll, a anáil ag ardú go dtí whimper gar mar a d'ardaigh sí a ceann chun cuardach a dhéanamh air.

Aoibh sé mar chlaon sé amach an fhuinneog cúil.

"Luigh síos a haon , níl muid sa bhaile go fóill."

D'amharc sé uirthi ar ais go bog níos ciúine agus chothaigh sé a liopa níos ísle go neirbhíseach mar go raibh blush ag teacht trasna a leicne.

Chríochnaigh sé an t-umar a líonadh agus thug sé na caidéil ar ais chuig na babhlálaithe sular oscail sé an doras chun leanacht isteach sa charr.

"An bhfuil deoch uait? Aon candy? Chomh maith le sin ..." shroich sé idir a cosa a thiomáint abhaile an smaoineamh.

Chroith sí a ceann agus í ag béiceadh a liopaí sular cogar sí gan anáil.

"Níl, Máistir."

"Ansin a shealbhú go fóill , a cheann beag. Beidh mé ar ais i beagán."

D'fhág sé, féin-cinnte, a fhios aige go raibh an láthair as an mbealach seo agus thóg sé a chuid ama ag roghnú deochanna agus sneaiceanna roimh íoc leis an gcléireach.

D'fhill sé ar an gcarr agus shleamhnaigh isteach i suíochán an tiománaí.

"Beidh muid abhaile i gceann uair an chloig nó mar sin, mo soith beag te," thóg sé amach a seaicéad agus chaith isteach sa backseat é, thosaigh an carr, agus bhuail an bóthar.

"Sea, Máistir," a bhí sí panting mar a corp líonadh le teas agus riachtanas.

Chuir sé dlús leis an gcarr a choinneáil ar luas soláimhsithe nach raibh ró-ard.

Choinnigh sé a shúile ar an mbóthar a bhí ag dul tríd na bóithre troime a chuaigh suas an mhórbhealaigh i dtreo na cathrach.

Ag baint lámh amháin den roth, shín sé amach agus d'imir sé lena nipple sular casadh sé go cruálach é.

"Le do thoil Máistir," gasped sé.

"Cad, le do thoil, mo sclábhaí?" aoibh sé.

Dhún sí a súile agus shlog sí go torannach.

D'imir an creathadhoir taobh istigh di, rud a d'fhág go raibh an plocóid rófhásta pianmhar arís.

Chas sé a nipple arís agus rinne sí caoineadh:

"Le do thoil. A Mháistir, le do thoil, tá ..."

"Níl go fóill, mo sclábhaí beag ngéarghátar."

Thóg sé a lámh uaithi agus chuaigh i dtreo bóthar sléibhe agus í ag impí air faoiseamh a thabhairt dó.

Aoibh sé agus nuair a bhí siad ar bhóthar straighter mhéara sé an leathair a bhí ag imirt léi clit.

"Céard atá ag teastáil uait?"

Bhí sé ró-dhéanach, chuir an lámh a tháinig anuas uirthi í thar an imeall agus ghlaoigh sí amach agus í ag druidim.

Heaved a corp beag agus jerked laistigh den saise.

Ag casadh as an vibrator, chuir sé an dá lámh ar ais ar an roth, ag súil go mbeadh sí socair síos.

Chonaic sé lámh a ardú beagán í .

"Cuir do lámh síos, Susy."

groaned sí agus d'fhéach sé ar dó.

"Tá, máistir."

D'éirigh sí compordach, a héadan ar crith agus í ag bogadh, an seamhan iarmharach ag sileadh anuas agus anuas isteach ina béal, a srón ag roc, a béal dúnta arís.

Rinne sé aoibh uirthi.

"Is féidir leat an chathaoir a dhíriú agus suí síos cheana féin, táimid ar an bpríomhbhóthar. Beidh muid abhaile go luath."

Tharraing sí an luamhán agus shuigh sí suas díreach agus í ag strapáil an crios sábhála thart ar a corp.

Chaith sí míchompordach mar a choinnigh an crios na bréagáin tucked go domhain istigh inti agus scuabtha i gcoinne a íogair, clit ata.

Chuir sí a lámha chun a aghaidh chun é a wipe ar shiúl, agus ag féachaint uirthi, aoibh sé.

u0026quot;Breathnaíonn tú go hálainn, a Susy. Cuir do lámha síos.

Chuir sí a lámha ina glún agus shín sé amach agus choinnigh sé í agus í ina luí ar a thigh.

D'análaigh sí go domhain i dteas a láimhe agus í ag taisteal chuici agus an chomhartha rómánsúil á spreagadh aici chomh hard agus a bhain sé úsáid gharbh as.

Chlaon sí ar ais i gcoinne an suíochán agus aoibh gháire beag i dteagmháil léi a liopaí.

"Ní raibh mé ar buile leat ar maidin," murmured sé isteach sa tost.

Bhreathnaigh sí air ionadh.

Chuaigh a hintinn chun cinn, bhí sí ag iarraidh a rá, 'Bhuel, cén fáth nár dúirt tú hello nó póg nó slap orm nó rud éigin sular thug tú an fón sin dom chomh uafásach?'

Ina áit sin, d'fhéach sí air, ag smaoineamh ar cad é an rud ceart a rá.

"Úsáidfidh mé agus náireoidh mé thú agus brúfidh mé thú chun rudaí a dhéanamh nár mheas tú cheana, ach..." ar seisean, "coisteoidh mé do chách géilleadh agus cé gur féidir liom tú a bhrú ní chuirfidh mé iallach ort dul thar do theorainneacha. agus faigh na teorainneacha sin."

Chas sé chun breathnú uirthi nuair a chonaic sé a léiriú mearbhall.

"Ní féidir leat a rá liom, má iarrann mé an iomarca, i do oiliúint," brú sé a lámh.

Ní raibh tada ráite ag Susan agus í ag caint, thuig sí an méid a dúirt sé agus tháinig na smaointe trína hintinn: "Bhí teorainneacha ann. D'fhéadfadh sí a rá nach bhfuil. Chuir sé cúram ar cad a d'fhéadfadh sí a iompróidh."

Bhí a aigne fluttered thar na focail.

Ba chuma leis an smaoineamh gan é a rá mar choincheap choigríche den sórt sin ...

Rinne sí gáire beag nuair a thuig sí, do gach a raibh sí ag caint faoi agus ag smaoineamh ar fanacht leis, níor smaoinigh sí i ndáiríre ar é a rá mar rud réalaíoch, mar rogha.

"An dóigh leat go bhfuil sé greannmhar, Susy?" muttered sé.

Rinne sí aoibh air .

"Go dtí an nóiméad seo níor mheas mé a rá nach raibh sé ina rogha. D'iarr tú géilleadh arís agus arís eile. Anois feicim nach féidir liom a rá. Chuir sé gáire orm mar is cosúil go bhfuil sé contrártha leis an oiliúint ar fad a bhí agam." tugtha an tseachtain seo chaite."

"Ag rá nach bhfuil, níl ann ach an rogha dheireanach mura féidir leat rud éigin a láimhseáil le do chuid oiliúna. Táthar ag súil le géilleadh i gcónaí. Ní déarfaidh tú cosúil le brat millte gach uair is mian leat, a Susy, nó déileálfaidh mé leat. cosúil le brat millte agus beidh an cnap beag gleoite sin ina scáth dearg buan."

Bhí achomharc áirithe ag an smaoineamh agus aoibh sé sular mhínigh sé a thuilleadh.

"Tá teorainneacha leis an méid is féidir le duine ar bith a ghlacadh agus tá dochar de shaghas éigin ann má théann siad níos faide ná iad. Ní mór dom a fhios a bheith agam go ndéarfaidh tú ná liom nuair a bhíonn teorainn agat leat féin. Nuair a bhíonn rud ró-náireach, ró-phianmhar , nó béar ró-dheacair, beidh focal slán agat nó déanfaidh tú comhartha le cur in iúl dom. Is tú mo sheilbh is luachmhaire. Ní theastaíonn uaim dochar a dhéanamh duit ach a thuilleadh." Bhrú sé a lámh.

Rinne sé gáire.

"Agus b'fhéidir go bhfuil focal sábháilte ag teastáil uaim freisin má tá tú chun mé a chur trí níos mó deireadh seachtaine mar seo arís."

gáire sí leis.

"Níor shíl mé go bhféadfainn iallach a chur ort aon rud a dhéanamh, a Mháistir."

Bhreathnaigh sé uirthi dáiríre.

"Is féidir liom a bheith i mo Mháistir éilitheach agus rialaitheach, ach is aoibhinn liom thú, a Shiobháin. An rud a thugann tú dom díot féin, is bronntanas é do chách géilleadh agus do dhiamhas is mó a chothaigh mé ná gach duine eile. B'fhéidir go gcuirfeadh sé iontas ort an rud a d'fhéadfá a iarraidh orm. agus cad a dhéanfainn duit." leat".

Bhí fuaim iontach ina cluasa ar a habairt deiridh, ach bhí siad ag labhairt chomh ó chroí agus a thiomáin sí gur shocraigh sí go raibh sé in am a amhras a phlé maidir le fanacht leis.

"Cad é más rud é nach féidir liom a bheith ar an gcineál sclábhaí atá uait? Is éard atá i gceist agam, níl a fhios agam conas a dhéanfaidh mé é agus feicim na botúin go léir a rinne mé an tseachtain seo. An gcoimeádfaidh tú oiliúint orm agus fós ag iarraidh mé leat má theipeann orm?"

"Tá tú, a Susy, ar an sclábhaí atá uaim cheana féin. Níl le déanamh agat ach a bheith fíor-fhoirfe ná muinín a chur orm. Iontaobhas go dtabharfaidh mé aire duit agus go réiteoidh mé fadhb ar bith atá agat ar maidin. Iontaobhas go bhfuil grá agam duit agus ní dhéanfaidh mé go deo dochar dáiríre go ligfear dom teacht chugat, caithfidh tú muinín a chur asam, a mhic, tá sé riachtanach mar Mháistir agus mar sclábhaí."

Giocadh sí a liopa go ciúin, ag smaoineamh ar a raibh ráite aige agus chuir sé sin macalla go leor sa mhéid a dúirt Anne léi níos luaithe.

"Labhair liom cailín beag," spreag Robert mar a thrasnaigh siad an abhainn i dtreo Downtown.

"Bhí an tseachtain seo chomh mór..." chrom sí a lámh ag iarraidh na focail cearta a aimsiú, "chomh difriúil, chomh spreagúil, chomh mearbhall , chomh ..." d'éirigh sí suas agus giotán a liopaí arís ar feadh nóiméad. "Tá sé go leor a ghlacadh isteach agus a thuiscint. Tá mé ró-shásta agus anois tá tú a thabhairt dom an rogha seo."

"An oiread agus is mian liom an cinneadh sin a dhéanamh duitse, ní dhéanfaidh mé. Tá sé tábhachtach dom go nglacann tú leis an méid a chiallaíonn sé a bheith liom. Ní bhaineann sé ach leis an ngnéas, cé go mbainfidh mé taitneamh as tú a úsáid go minic, I. Tá mé ag iarraidh ort a bheith tiomanta dom agus mo thuairim féin a bheith agat." i ngach réimse de do shaol, cairde, teaghlach, obair, áit a bhfuil cónaí ort, fiú mar a fhéachann tú. bíodh a fhios agat cad is maith leat agus nach maith leat. Sin an meas atá uaim."

Stop sí ag béiceadh a liopa mar bhí foirgneamh na cuideachta le feiceáil os a comhair.

"Tá gach lánúin difriúil óna chéile ar bhealach éigin, go háirithe nuair a bhíonn siad ag gabháil nó pósta," mused sí os ard, "ach má fhaigheann muid líne, an bhféadfaimis é a phlé? Ciallaíonn mé, dúirt tú raibh mé in ann a rá nach bhfuil má rinne mé. Ní dóigh liom go bhféadfainn rud éigin a dhéanamh. " ".

"Tá," a dúirt sé go cúramach, "ach ní bheinn ag súil go dtarlódh sé sin go minic."

Stop sé os comhair an fhoirgnimh agus d'fhéach sé uirthi agus an valet ag druidim.

"Oibriú, a sclábhaí beag, déanfaidh tú mar is mian liom, nuair is mian liom, agus mar ba mhaith liom."

Chlaon sí agus aoibh go bog.

"Tá Máistir".

D'oscail doras a cairr, agus chas sí a cosa amach agus díreach suas, ag gabháil buíochais leis an valet a sheas ar an cosán.

Bhí Robert le feiceáil ar a taobh, ag tabhairt na heochracha don valet.

"Tá roinnt boscaí agus málaí sa trunk, an féidir leat iad a thabhairt go dtí mo árasán le do thoil?"

Bhí aoibh ar Susan agus í ag mothú go raibh Robert ag rith a lámh thar chúl a muiníl go sealbhach, mar a rinne sé i gcónaí agus é ag dul isteach san fhoirgneamh seo.

Mheas an smaoineamh a bhí ag an gclub thíos staighre agus an cineál daoine a bhí ina gcónaí ar na hurláir uachtaracha a hintinn, go háirithe ó bhí a fhios aici cén chuma atá air faoi láthair.

Blush sé agus shiúil sé lena cheann síos mar a bheannaigh cúpla duine Robert ar a bhealach chuig an ardaitheoir ag fiafraí an bhfeicfeadh siad ag an gclub anocht é.

"B'fhéidir don dinnéar, ach ar dtús tá roinnt rudaí agam chun freastal orthu."

D'fhéadfadh Susan an meangadh gáire a chloisteáil ina glór agus í ag dul isteach go buíoch san ardaitheoir as radharc cairde aisteacha a Máistir.

Ghluais a lámh thart ar a muineál chun greim a fháil ar a scornach agus é ag claonadh isteach agus ag póg go domhain í, ag fágáil gan anáil agus crith.

Chuir sí brú ó chroí ar na bréagáin a bhí á gcaitheamh aici fós agus mheabhraigh sí dó go raibh sí ar bís nuair a d'oscail doirse an ardaitheora ar an urlár.

Thaistil an teas taobh istigh di go dtí a aghaidh agus rinne sé an-dearg uirthi mar go raibh grúpa daoine ag fanacht leo dul amach as an ardaitheoir.

"Tá sé déanta," a chuaigh duine de na fir chuig Robert, " lig an gníomhaire eastáit isteach sinn agus ghlac muid gach rud. Tá an chuid is mó den troscán aistrithe chuig taisceadán stórála. Seolfaidh mé na sonraí agus an eochair chugat. " maidin amárach. Gheobhaidh an fear sin spás folamh má théann sé isteach ann. Agus bhí an gníomhaire ag athrú na glais nuair a d'fhág muid ar aon nós."

"Go raibh maith agat Jonathan, is mór agam é. Is é seo mo Susy, tá tú shábháil sí go leor imní. Is dócha go mbainfidh sí smaoineamh ort mar a laoch anois agus a thairiscint duit ar luaíocht. Alan fuair milseog sútha talún aréir le haghaidh ag seasamh ar a son." Robert gáire go héasca.

Dúirt Susan le guth binn:

"Go raibh míle maith agat, a dhuine uasail, agus tá, dhéanfainn beart duit féin dá mba mhian leat."

aoibh Jonathan.

"Tá fáilte romhat, a dhuine bhig. Níl aon mhilseog dom, ach táim cinnte gur féidir linn smaoineamh ar rud éigin."

D'iompaigh a meangadh gáire agus shín sí amach chun méar a rith thar cheann de na welts fading ar a cófra.

Robert aoibh.

"Dorresistible, nach bhfuil? Tar go dtí an oifig amárach ag a dó dhéag. Beidh lón againn agus a fháil ar luaíocht oiriúnach do laoch cosúil leatsa."

"Ceart go leor, tá an fhuaim sin go maith. Is fearr liom na guys seo a fháil chuig an gclub sula gceapann siad go bhfuil mé ag rith leo."

Rinne Jonathan aoibh agus feadaíl go géar.

Tháinig roinnt fir agus mná i láthair.

Luaigh Iónátán an t-ardaitheoir agus d'imigh siad gan focal a rá, cé go raibh an chuma orthu go raibh siad ag breathnú uirthi agus í ag cur dallamullóg níos doimhne ar an chuma a bhí air.

Chuaigh Iónátán i mbun Susan.

"Feicfidh tú amárach ansin."

Dhún na doirse ardaitheoir agus d'fhéach Susan ar Robert gan blushing ar chor ar bith mar chuimhnigh sí ar an uair dheireanach a d'iarr a Máistir uirthi buíochas a ghabháil le duine éigin i gceart.

Shivered sí le teas agus oirchill.

" Seo," ar seisean agus é ag tabhairt í go ceann na conaire agus d'oscail sé an doras, "an áit a mbeidh an banphrionsa beag beo go hoifigiúil." Lig sé isteach í chun breathnú thart. "Is féidir le Mam agus Daid cuairt a thabhairt ort anseo nó ar aon duine de do chairde lasmuigh dár stíl mhaireachtála.

Shiúil sé timpeall an árasáin.

Aistríodh na rudaí go léir óna hárasán anseo seachas an troscán.

Fuair sí a cuid éadaí, grianghraif agus maisiúcháin go léir in áit mar go raibh cónaí uirthi i gcónaí sa chathair, ní raibh an chuma ar an scéal gur bhog sí.

Árasán banphrionsa a bhí ann i ndáiríre, bándearg agus bán ar fad le móitíf bláthanna trom cosúil lena seomra sa bhaile.

Lean Robert í ó fad ag ligean di féachaint ar gach rud.

Ar a Dresser fuair sí tiara beag agus fón nua, d'fhéach sí air agus dúirt:

"Go raibh míle maith agat. Níl a fhios agam cad eile atá le rá."

"Sea, tá," d'fhreagair Robert, "ach tá níos mó gá duit a fheiceáil sula ndéanann tú é."

Thóg sé ar láimh í agus threoraigh í ó sheomra na banphrionsa go doras a árasán, ar an taobh eile den halla.

Sheas sé taobh thiar di mar a sheas sí sa doras.

D'fhág sé cnaipe a gúna go tapa agus lig sé titim thart ar a cosa.

Rith sé a lámh thar an strap leathair idir a cosa ag mothú a theas tais agus ag labhairt go bog ina cluas:

" Ar thaobh eile na conaire seo is banphrionsa tú , ach anseo beidh tú cosúil le peata . Cuirfear oiliúint ort agus nochtfar thú d'éagsúlacht kinks agus fetishes . Ní bheidh tú ag siúl isteach sa seomra peataí . Beidh tú kneel nó crawl mura dtugtar treoir dó déanamh amhlaidh." luaigh a mhalairt."

"Tá, máistir." A dúirt Susan go bog agus léim sé mar a eitil na doirse ardaitheoir oscailte agus an valet le feiceáil leis na boscaí agus na málaí ar cart beag, iad a scaoileadh amach ag doras árasán Robert sular imigh sé arís.

Blush daite a corp mar a rith sé a lámh thar a cromáin, ag brú síos.

Ansin thóg sé céim siar, ag tarraingt siar a lámh uaithi.

Ar ndóigh, d'ísligh Susan í féin chun dul ar a glúine.

"Cailín maith."

D'oscail sé an doras agus patted cúil í chun í a thiomáint ar aghaidh.

D'iompaigh sé an lasc solais, ag soilsiú an tseomra le glow te órga ionas go bhféadfadh sí gach rud a fheiceáil.

"Seo an áit a gcuirfear oiliúint ort an chuid is mó den am. Seo an áit a mbeidh tú i mo pheata, i mo fraochÚn, i mo bhréagán le bheith ag súgradh leis. Seo an áit a bhfaighfimid cad a thugann eacstais duit agus freisin an áit a luíonn do theorainneacha. áit a mbeidh tú in ann focail agus comharthaí cinnte a labhraímid a úsáid.

D'fhéach Susan timpeall ar an troscán agus an trealamh corr.

Goaded sé di a thuilleadh.

"Téigh iniúchadh."

Tháinig sí suas go mall agus an leathar ag cuimilt níos doimhne isteach sa phost seo í ag déanamh caoineadh beag di.

Bhí roinnt cliabháin éagsúla sa seomra, ciseán beag padded, cosúil le peataí, ach mór go leor do bhean curl suas i, boird agus cathaoireacha cuma aisteach, binsí padded mar an ceann a bhí agam i mo sheomra leapa oifig agus i gcúinne amháin aimsithe. bosca bruscair mór.

Bhí a aigne ag spochadh as agus a srón ar lasadh.

Ag filleadh ar an gciseán peataí padded, knelt sí ar na cúisíní bog agus gazed ag na ballaí máguaird.

Bhí rópaí, ribíní, úmacha agus sreinsí ar crochadh taobh le héagsúlacht coiléar agus leashes.

Bhí caibinéid i mballa amháin, a bhí Robert ag oscailt beagán ionas go bhfeicfeadh sí na paddles, fuipeanna, agus trealamh leathair a d'úsáidfeadh sé chun scar a chorp agus pian a chur uirthi, chomh maith leis na bréagáin a mbeadh siad ag súgradh leo.

Bhí seilfeanna sa bhalla deiridh a bhí ag cur thar maoil le buataisí agus éadaí déanta as ábhair éagsúla: rubair, laitéis agus fionnaidh.

Ansin d'fhéach sí air agus bhí a fhios aici go raibh muinín aici ann.

Ní raibh eagla uirthi roimh aon cheann de seo a thuilleadh.

A mhalairt ar fad, bhí sí ar bís faoi agus theastaigh uaithi níos mó a fhoghlaim, eolas a chur ar a teorainneacha agus a chuid.

Ní raibh an smaoineamh dul ar ais go dtí an gnáth-domhan gnéas béil leath-hearted agus fucking tapaidh i gcás nach raibh sí taitneamh as an-tarraingteach a thuilleadh.

Ach an bhféadfadh sí a saol a thabhairt dó, an smacht iomlán a theastaigh uaidh a thabhairt dó thar gnéas spreagúil, más garbh?

Lean sí uirthi ag féachaint air ag béiceadh a liopa.

Scriosadh an deireadh seachtaine seo an chuid is mó dá imní, agus má bhí sí macánta léi féin, ar maidin, nuair nach raibh sé ann, bhí a fhios aici go raibh sé ag teastáil uaithi le bheith ann.

Ag caint le hAnne agus ansin leis sa charr, bhí an chuma air go raibh teorainneacha aimsithe aige faoina bhféadfadh sé maireachtáil nó ar a laghad iarracht a dhéanamh.

Ní bheadh sí gafa mar phríosúnach, agus ní fhéadfadh sí a rá dá mbeadh rud éigin ró-mhór di.

Ní raibh sé pósta a thuilleadh, mar sin d'fhéadfadh gach rud oibriú amach sa dá shaol sa deireadh.

Bhí an ceart ag Anne, agus ag smaoineamh ar an gcomhairle is déanaí a bhí tugtha ag Anne di mar a bhreathnaigh sí air a chuid céimeanna a athrianú caibinéid agus doirse a dhúnadh, bhí a fhios aici go raibh a intinn déanta aici cheana féin.

Shiúil Susan as an saghas ciseán peataí chuig an bhfear a raibh aithne chomh maith aige uirthi agus chuaigh sé ar a ghlún os a chomhair agus é ag stopadh ag féachaint uirthi.

Chrith sí beagán agus ghlac sí anáil dhomhain, agus a fhios aici nach raibh sí chun gach rud a dúirt Anne léi a rá, ach ag cuimhneamh go leor chun é a dhéanamh ó chroí agus go spontáineach.

"Uaireanta," thosaigh sí le glór íseal, crosta, "nach bhfuil an chuma ar an scéal go bhfuil sé ag tabhairt suas a thabhairt suas ar chor ar bith. Baineann sé le cad atá ar siúl inár gcroí agus inár n-intinn. Féachaint go soiléir ar an saol atá ann agus glacadh leis. agus a bheith dílis di, is cuma cad é an phian, mar is mó go mór an phian mura bhfuil tú dílis."

Bhreathnaigh sí air, a aghaidh unreadable, agus crith sí níos mó mar a lean sí leis an ceanglófar a bhí tugtha Anne di.

"Roghnaím fear a dhúshlánaíonn mo neart. A éilíonn go leor uaim. An té nach bhfuil in amhras faoi mo mhisneach ná mo chruas. An té nach gceapann go bhfuil mé naive nó neamhchiontach. Cé a bhfuil an misneach aige caitheamh liom mar bhean. ."

Bhuail a súile léi agus í ag caint agus thosaigh a glór ag dul in olcas ina himní.

"Glacaim agus tuigim cé tú féin agus cad a iarrann tú orm agus cuirim bronntanas na haighneachta ar fáil duit agus tá muinín agam asat go mbeidh meas agat air agus go gcoimeádfaidh mé é gar do chroí. bhaineann?" ?"

Bhí ciúnas fada ann agus faoi dheireadh d'ísligh sé a shúile.

An ndearna sé mícheart é? thug sí aire dá chuid focal ansin.

Bhí sé ar a ghlúine ar thaispeántas oscailte agus ar fáil, bhí iarracht déanta aige cuimhneamh ar gach rud a bhí le rá aige, cén fáth a raibh sé ag féachaint uirthi gan tada a rá?

Giotán sí a liopa ag iarraidh a choinneáil siar na deora a bhraith sí ina súile.

Bhí a intinn athraithe aici, an smaoineamh gearrtha go domhain.

Shroich sé síos agus bhrúigh sé a cuid gruaige chuig a cosa agus ansin isteach ar a bharraicíní agus í ag caoineadh go bog.

"Féach ar dom," a dúirt a guth le mothúcháin.

Tilted sí a súile ar a.

"Ní raibh mé riamh ag iarraidh rud ar bith níos mó i mo shaol ná mar a theastaigh uaim a bheith in ann na focail sin a chloisteáil uait. Beidh tú ag caitheamh mo muince," cupped sé a lámh thart ar a scornach, "timpeall do mhuineál álainn, ach ar dtús," growled sé. , "Glacfaidh mé a bhfuil sé liomsa ionas go dtuigeann tú go mbaineann gach orlach agaibh liomsa anois."

Chrith sí le eagla agus oirchill.

Chas sé agus chuaigh sé ar aghaidh go barra padded í a threorú ag a cuid gruaige taobh thiar dó.

"Fan mar seo," a dúirt sé agus é a chlaon sí thar an mbarra.

D'oscail sé caibinéad agus rug sé ar rud éigin a bhí istigh ann.

Nocht sé a chrios agus beagnach sracadh as a chorp é.

Thit an vibrator ar an urlár, ag glioscarnach le taise.

Smacking a thóin grod sé.

"Oscail".

Ag cothromú go neamhbhuana ar a bharraicíní, shín Susan amach agus scar sí a masa nuair a chuala sí a cuid éadaí ag titim chun an urláir.

Chas sí a ceann, ag iarraidh é a fheiceáil, ach is beag a chaill a cothromaíocht.

Moaned sí go bog mar a scaipeadh sé a pluide.

Ag cur a lámha ar an taobh beag a droma, slammed sé a coileach isteach ina poll fliuch daingean reveling ina caoin an iontas.

Phump sé go crua í arís agus arís eile go dtí gur ghlac sí é go léir agus groaned le pléisiúir.

Ag seasamh go domhain laistigh di, lorg a mhéara an breiseán.

Mhothaigh sí an drip den chóta ola ar a masa agus an scoilt eatarthu agus é ag brú agus ag tarraingt an phlocóid taobh istigh di, rud a d'fhág go raibh sí ag caoineadh agus ag gasp níos deacra.

Tharraing sé an plocóid as í trí a mhéara a chur isteach sa pholl bearna, é a oscailt níos leithne agus an ola fhionnuar a shileadh isteach inti.

D'fhéadfadh sí a choileach a mhothú ar crith taobh istigh di agus é ag pumpáil a mhéara isteach ina poll beag is doichte.

Bhí sé chomh iompú ar an cailín go raibh sí ar deireadh fíor .

Ba é an glacadh a bhí aige leis agus a áit ina saol a spreag a mhian a bheith i gceannas uirthi go hiomlán.

Bhreathnaigh sé, mesmerized, mar a parted bun agus bhí inrochtana.

D'oibrigh sé í, ag scaipeadh na matán teann níos faide lena mhéara, á bratú le hola go dtí nach bhféadfadh sí a choinneáil siar a thuilleadh.

Ag tarraingt sé as a cunt, thóg sé a coileach suas go dtí a asal.

Bhraith sé stiffen di mar a thuig sí a rún agus slapped sé a buttock growling, "scíth a ligean."

Ghlac Susan anáil dhomhain agus shudd sí agus rinne sí iarracht a scíth a ligean, ach bhí a hintinn ag screadaíl uirthi, "Tá a dick rómhór! Stróicfidh sé ina leath thú!"

Giotán sí a liopaí crua agus dhún sí a súile, eagla agus aidréanailín a spreag a arousal.

Thug sí an chumhacht seo dó agus chuaigh sé thar a chuid céadfaí nuair a mhothaigh sé é ag brú go mall.

Squealed Susan agus an ceann popped thar a fáinne anal daingean, a matáin ag brú instinctively i gcoinne a choileach.

Chuir sí suaimhneas uirthi agus í ag mothú go raibh sé ag bogadh níos doimhne istigh inti.

Ag déanamh di a bhrú ina choinne arís, a matáin féin ag cuidiú leis a choileach doirteal níos doimhne agus níos doimhne isteach sa pholl daingean.

"Fuck..." Moaned Robert toisc go raibh sí chomh daingean gortaíodh beagnach, ach reveled sé ina gasps mar a iachall sé a bhealach isteach di. "Yeah soith, bain úsáid as na matáin."

sé ina dhiaidh arís agus impaled go domhain í mar a scread ag canadh tríd an seomra.

Ag fanacht go fóill, chrom sé go domhain agus a mhatáin teann, teann ag crú a choileach.

Shín sé amach agus thóg sé í ag a cuid gruaige, ag claonadh a droma.

"Abair arís é," ar sise, "Iarracht orm a bheith i mo sclábhaí. Iarr orm ligean duit mo bhóna a chaitheamh."

Tháinig a cuid focal amach ina sobs agus moans mar a d'fhan sé faoi ghlas taobh istigh di gan bogadh.

"Tairgim...do...m'aighneacht iomlán...le do thoil...féadaim...do muince a chaitheamh...Máistir."

Robert shroich faoina agus rolladh a clit idir a mhéara garbh.

"Tar, mo sclábhaí. Tar anois."

Mhothaigh sé aimsir í agus tháinig sí ag déanamh a matáin níos doichte thart ar a choileach agus scaoil sé a riachtanas féin tuilte istigh air.

Scaoil Robert a cuid gruaige agus lig di taitneamh a bhaint as a bharr crith ar an mbarra agus é ag tarraingt siar go mall uaithi.

An radharc a poll gaping dhúnadh go mall mar a leaked a cum tríd dó a bhí ag adhaint an ngá atá le di arís, ach bhí pleananna eile aige don oíche.

"Tá tú den sórt sin a slut te."

Phioc sé suas í agus d'iompair a corp fós ar crith amach as an seomra.

Thug sé ar ais go dtí a árasán í, ag cur go réidh sa dabhach í agus ag casadh ar an uisce le haghaidh nigh te.

Ag cur tuáille ar imeall an tubáin chun a ceann a mhaolú, rinne sé miongháire uirthi.

"Scíth a ligean, a Susy," dhoirt sí roinnt salainn milis-bholadh isteach san uisce folctha, "scíth a ligean anseo ar feadh tamaill agus beidh sé gortaithe níos lú."

Bhí pian ar a chorp ar fad, ach tháinig an míchompord a bhraith sé ina thóin go mall ag an uisce te.

Dhún sí a súile, an amhras lingering agus féin-anailís na seachtaine seo caite.

Ghlac sí leis gur theastaigh seo uaithi, nó ar a laghad go raibh sí ag iarraidh tuilleadh iniúchta a dhéanamh leis an bhfear seo a raibh grá aige di, a Máistir.

Mhothaigh sí saoirse nach raibh súil aici go mbeadh sí ina sclábhaí.

Bhí cónaí uirthi agus d'fhoghlaim sí go leor le seachtain anuas, agus ba é an fhírinne gur iompaigh sé uirthi, gach rud.

Iompaigh sí ag gáire air nuair a d'fhill sé.

"Rinne mé dearmad go raibh maith agat a rá, a Mháistir."

Rinne sé aoibh uirthi.

"Tá a fhios agat nár thuig mé fiú é. Is fear an-sásta a rinne tú dom anocht. Go raibh maith agat, Susy."

"Níor thaitin sé liom, áfach," a dúirt sé suas slabhra di a fheiceáil, "a fháil amach gur bhain tú amach inniu é."

Leathnaigh a súile nuair a chonaic sí crogall Tinkerbell ag teannadh as an slabhra ina lámh.

D'oscail sí a béal chun leithscéal a ghabháil, ach choinnigh sé suas a lámh chun stop a chur léi.

"Ní raibh mé soiléir go leor i mo threoracha agus ní fhéadfaí a fhios agat a thábhachtaí."

Chlaon sí a ceann, ag féachaint air go aisteach mar a shleamhnaigh sé an crogall sióg den slabhra agus thug sé di é.

"Rinne cara liom é seo nuair a dúirt mé leis go raibh mé chun sclábhaí a éileamh dom féin," phioc sé suas loc filigree mín ceardaíochta i gcruth croí. msgstr "Leis seo déantar collar aighneachta den slabhra."

Dhíghlas Robert an glas glas agus cheangail sé an slabhra de cheann amháin de.

Lúb sé an taobh eile den slabhra thart ar a mhuineál, ansin shnáitheáil sé lúba éagsúla den taobh sin tríd an gcuid eile den ghlas glas chun an slabhra dúnta timpeall a mhuineál a dhéanamh níos doichte.

Ghlac Susan anáil dhomhain nuair a chuala sí an cliceáil glas.

Shuidh sé síos agus aoibh uirthi.

"Ní fheicfidh daoine nach bhfuil ag maireachtáil ár stíl mhaireachtála é ach mar muince deas. Ní bhainfidh tú amach é gan mo chead. Is ansin a chuirfidh tú collar traenála nó mo muince foirmiúil ina áit. Agus i gcónaí feicfidh gach duine é sin Tá ceann de mo chuid muincí á gcaitheamh agam le taispeáint cé leis thú agus cé chomh bródúil is atá mé gur liomsa thú."

Aoibh sé agus caressed a leiceann, leaning síos chun póg di go domhain.

CRÍOCH

Milton Keynes UK
Ingram Content Group UK Ltd.
UKHW010639120124
435917UK00001B/71